# 吾輩はシャーロック・ホームズである

柳 広司

角川文庫
15898

爆発はスタート・ホイッスルである

# 吾輩はシャーロック・ホームズである　目次

――夏目狂セリ。

（一九〇二年、倫敦《ロンドン》発大日本帝国文部省宛　発信人不明の電報）

# 1 奇妙な依頼人

あの奇妙な依頼人がベーカー街二二一Bを訪れたのは、忘れもしない、一九〇二年九月のことであった。

その日、私が暖炉の前のひじ掛け椅子に座り、昼食後のパイプとコーヒーを楽しんでいると、玄関の呼び鈴の鳴る音、それから階段を上る不規則な足音に続いて、二人の年配の女性が部屋に入ってきた。

「はじめまして、ワトスン先生《ドクター・ワトスン》」

「今日は、わたしたち」

「思いきって」

「ご相談にあがりましたのよ」

と彼女たちは、いささか呆気《あっけ》に取られている私に向かって代わる代わる口を開き、私はそのたびに交互に首を振り向けなければならなかった。

相談に来たという二人の女性は、いずれも年のころは五十前後、色の褪《あ》せた半白《はんぱく》の金髪を頭の上にきつく結い上げ、質素ではあるがお揃いのきちんとした服を身につけている。

彼女たちはひどく対照的な体格をしていた。一人は丸顔の、体重が百八十ポンド（註 約八十キログラム）はあろうかと思われるほど肉づきのよい人物であり、他方、痩《や》せた鶏《とり》のような長い首の女性は、体重はおそらく同行者の半分ほどであろう。だが、それにもかかわらず、二人が姉妹であることは、顔立ちがひじょうに似ているところから、一見して明らかであった。

私はともかく二人の女性に椅子を勧め、差し出された名刺を見て尋ねた。

「それで、どちらがお悪いのですかな、リール《ミス・リール》さん？」

「どちらが悪いと」

「言われましても」

「ねえ」

二人はまた交互に短くそう言って顔を見合わせ、にこにこと人のよい笑みを浮かべている。

「さては膝《ひざ》ですね」私は仕方なく、いくらか年上に見える太った方の女性に見当をつけて言った。「なに、おっしゃらなくとも階段を上ってこられた足音で分かります。以前に膝を怪我《けが》したことはありませんか？　私もちょうどこの季節、以前戦場で負った傷が痛むことがありまして……」

「悪いのは、わたくしの膝ではありません」丸顔のミス・リールは、穏やかな青い目に笑みを浮かべて言った。

「おや。では、あなたの足首でしたかな？」私はもう一人の女性に向かって尋ねた。

「いいえ、違います」痩せたミス・リールが首を振った。

「診察をお願いしたいのは」

「わたしたちでは」

「ありませんのよ」

二人は交互にそう言うと、小首を傾《かし》げるようにして背後を振り返った。彼女たちの視線を追った私は、そのとき初めて、扉の陰に隠れるようにしてもうひとつ、別の小柄な人影があることに気がついた。二人のミス・リールは、私の耳元に両方から囁《ささや》くように言った。

「じつは、わたくしども」

「クラパム・コモンで」

「小さな下宿屋を営んでおります」

「今日こちらにお伺いしたのは」

「ほかでもありません」

「あの方は」

「わたくしどものところの下宿人で」

「ナツメさんとおっしゃる」

「日本からの」

「留学生なのですが……」

「彼はどこが悪いのです？」私は目が回ってきたので、こちらから尋ねた。

二人は一瞬困ったように顔を見合わせ、またすぐに小声で続けた。

「あの方は、このあいだまで」

「ご自分が猫だと」

「おっしゃっていたのです」

「猫？」

「ええ」

「〝名前はまだない〟と」

「なるほど。重症のようですね」私はようやく事情を察して肩をすくめた。「しかし、それならなぜ私のところに？　精神医学は、私の専門ではありませんがね」

「クレイグ先生にご相談したのです」と太ったミス・リールが珍しくひと息に言った。

「先生が、ナツメさんを」

「こちらにお連れするようにと」

「おっしゃったもので……」

と、突然、額を寄せて話し込んでいた私たちの頭の上で、甲高い笑い声が響き渡った。

「は、は、はっ！　ワトスン君、僕だよ」

ぎょっとして顔を上げると、いつの間に部屋に入ってきたのか、背の低い、痩せた、貧相な体格の男が、私のすぐそばに立っていた。私は啞然《あぜん》として彼を眺めた。鼻の下に黒いひげを蓄え、丁寧になでつけた黒い髪と、黒い眼。平板な黄色い顔には一面に薄くアバタが浮かんでいる。日本からの留学生、ということを聞いていなかったら、私は彼を中国人だと思ったであろう。ほとんどの東洋人がそうであるように、見ただけでは年齢はよく分からない。襟元《えりもと》にはおそろしく高いダブル・カラーがのぞき、白いシャツと、その上に羽織ったフロックコートは、いずれも仕立ては悪くはなかったが、残念ながら彼には少しも似合っていなかった。縞《しま》のズボンも彼の足には少々長すぎるようだ。ただ靴だけはピカピカに磨き上げてあった。

東洋人の小男は顔に妙な薄笑いを浮かべたまま、おもむろにポケットからパイプを取り出して口にくわえた。そうして後ろで腕を組んで部屋を横切り、暖炉のそばの壁にもたれかかった。

「なんだいワトスン君、まだ分からないのかい？　いや、無理もないな。僕の見事な変装を見破れなかったからといって、きみが気に病むことはないさ。しかし、こうすればどうだい」

男はそう言ってまたはははと笑い、服の袖《そで》で顔をごしごしとこすった。彼は顔を上げ、にこりと私に笑ってみせたが、そこにはやはり、依然として、見知らぬ東洋人が立っているだけである。変わったことといえば、強くこすったせいで皮膚が赤くなり、顔のアバタがいっそう目立つようになったばかりであった。

ちょうどそこへ、使いの少年が電報を持って階段を上ってきた。

「ちょっと失礼」

私は奇妙な訪問者たちに背を向け、黄色い封筒を破って、電報に目を通した。

兄まいくろふとノ依頼ニヨリなつめ氏ノ調査ヲ引キ受ケタ。僕ガ帰ルマデ彼ヲ〝ほーむず〟トシテ扱ッテクレタマエ。

発信者欄には〝S.H.〟の文字。

電報は、誰あろう、わが友シャーロック・ホームズその人からのものであった。

その後、リール姉妹が交互に語った事情は、およそ以下のとおりである。

日本からの留学生K・ナツメ氏は、この夏ごろからすっかり部屋に閉じこもってしまい、下宿の二人の女主人が訪れても、容易にドアを開けようともしない。食事もドアの前に置かせ、誰もいないときを見計らって部屋に引き入れ、空になった食器を廊下に出しておく始末である。時折明かりを消した部屋の中からすすり泣く声が漏れ聞こえ、そうかと思えば一人きりの部屋の中で誰かに向かってしきりに怒鳴っている様子である。

心配になったリール姉妹は、クレイグ博士に相談に行った。ナツメ氏はロンドンに来てからというもの、この高名なシェイクスピア研究者のもとに、教えを乞《こ》うべく足繁く通っていたのである。

知らせを聞いたクレイグ博士は、早速ナツメの下宿を訪れた。部屋の中で二人が何を話し合ったのかは分からない。が、クレイグ博士の訪問の後、ナツメの部屋からは泣き声も、また怒鳴り声も聞こえなくなり、しばらくしてナツメが自分から部屋のドアを開けて出てきたときには、リール姉妹はようやく顔を見合わせて安堵《あんど》の息をついた。

ところが、どうもナツメの様子がおかしい。彼はそれまで手に取ることもなかった安タバコをしきりに吹かすようになり、書物しか置いていなかった部屋にはビーカーやフラスコ、アルコールランプといった化学実験器具が持ち込まれ、彼は下手くそなバイオリンをかき鳴らし、ついにはリール姉妹をつかまえて「ハドスンさん」と呼ぶにいたっては、リール姉妹も何ごとか察せざるをえなかった。どうやらナツメ氏は、自分のことをあの〝シャーロック・ホームズ氏〟だと思い込んでいるのだ。

リール姉妹はふたたびクレイグ博士のもとに走った。事情を聞いた博士はしばらく呆気《あっけ》に取られた様子であった。が、目の前の相手が心底困惑していることに気づくと、苦虫をかみつぶしたような顔となり、早急に別の手を打つことを約束した。博士は翌日、彼女たちの下宿屋を訪れた。そうして、ナツメをベーカー街二二一Bに連れていくよう指示したというのだ。

「ナツメさんをここに連れてくれば」

「あとは、あなたさまにすべてお願いすればよいと」

「なんでも『クラブの友人を通じて手を打ったから』と」

「博士は、そうおっしゃいましたのよ」

リール姉妹はそう言って、二人してじっと私の顔を窺《うかが》った。

「なるほど。するとクレイグ博士というのは、マイクロフト氏が籍を置く、あのディオゲネス・クラブの会員なのですね」

私はそれで、ことの次第を納得することができた。マイクロフト・ホームズ氏は、シャーロック・ホームズの七歳年上の兄にして、およそ〝謙遜《けんそん》という悪癖〟を持ち合わせないわが友が、この世で唯一「観察力や推理では僕より優れている」と素直に認める存在である。クレイグ博士が、同じクラブの会員であるマイクロフト氏を通じて依頼したのであれば、ホームズとしても断るわけにはいかなかったのであろう。

「分かりました。ナツメさんは、しばらく私のところでお預かりいたしましょう」私は諦《あきら》めて言った。

「ところでクレイグ博士は、ほかには何かおっしゃっていませんでしたか」

「ええ」とリール姉妹の顔に、初めてほっとしたような色が浮かんだ。

「博士はナツメさんをこちらにお預けしているあいだに」

「彼の日記や手紙を部屋から持ち出して」

「人に頼んで翻訳して貰《もら》うのだそうです」

「ほう、手紙や日記をね」

「他人《ひと》の日記や手紙を勝手に読むなんて」

「もちろんよくないことですわ」リール姉妹は二人並んで顔を赤らめた。

「けれど、あなた」

「手がかりといって」

「ほかにはありませんもの」

「仕方がないのですのよ」

私は無言で肩をすくめるだけにとどめた。

「あの」と痩《や》せたミス・リールが、初めて独立して口を開いた。

「こ、こういうことはよくございますのかしら？」

「こういうこと、というと？」

「つまり〝シャーロック・ホームズさん〟がこちらを訪れることですわ」

「彼なら、ええ、ときどき来ますよ」私は思わず吹き出しそうになりながら答えた。

「でも、あの方はたしか……」

「ねえ」

リール姉妹がそう言って気の毒そうに顔を見合わせたので、私はまたかと苦笑せざるをえなかった。

私が、ホームズと犯罪王モリアティ博士とのライヘンバッハ滝での死闘を伝えた『最後の事件』を発表したのが、一八九三年一二月。早いもので、かれこれ十年近く前になる。私自身、あのときは、ホームズがモリアティ博士とともに滝に落ちて死んだものと信じ、限りない哀惜の念を込めてあの手記を発表したのだ。だから、翌年ホームズがひょっこり私の前に姿を現したときには、驚きと喜びのあまり、生まれて初めて気絶してしまったほどであった。私はむろん、すぐにホームズの〝帰還〟を発表しようと思った。ホームズの活躍を伝える私の拙《つたな》い手記を楽しみにしてくれている読者への義務だと思ったのだ。だがホームズは、彼の生還を世に発表することを、私に堅く禁じた。

「考えてもみたまえ」とホームズは私に言った。「僕が死んだものと世間に信じさせておけば、ロンドンの犯罪者たちはすっかり油断して仕事を始めるだろう。僕は、いわば幽霊のように見えない存在として彼らの背後に回り込み、連中の気づかないあいだに網の口をきつく絞ってしまうことができるのだ。これはまったく、神が僕に与え賜うた幸運なのだよ」

私はホームズの意を受けて、この十年間、彼の生存を発表することは差し控え、その代わりに、以前バスカヴィル家歴代の当主に降りかかった奇怪《グロテスク》な事件と、そこでのホームズの活躍を伝えるにとどめてきた。

もっとも、いくら私が手記を発表せずとも、しかるべき人々の耳にホームズの生還とその後の活躍が聞こえぬはずはなく、すぐにあちらこちらから事件の依頼が舞い込むようになり、今年に入ってからだけでもサー・ロバート・ノーバートンの奇妙な振る舞いの謎をスパニエル犬の習性から見抜いたショスコム荘での事件や、三人のガリデブ氏にまつわる不可解な依頼、あるいは、ある高名な依頼人のために、ホームズ自身が身の安全を危機にさらすことになった、筋金入りの犯罪貴族グルーナー男爵との対決など、ちょっと思い出すだけでも、すこぶる奇怪な、様々な事件が、世界でたった一人の諮問探偵シャーロック・ホームズのもとに持ち込まれていた。いずれを取っても犯罪史上大変に興味深い事件であり、またいつの日かホームズの禁止が解けさえすれば、発表できる機会もあるであろう。

その一方で、これはホームズさえ予期しなかったことであるが、私の手記の熱心な読者のあいだでは、この十年のあいだにいささか奇妙な傾向が流行したのである。彼らの多くはライヘンバッハでのホームズの死をけっして信じようとはせず、私宛に「どこそこでホームズを見かけた」という手紙を書いてくる人があとを絶たなかった。それだけならともかく、なかでも頭の調子のおかしい人たちは「我こそがシャーロック・ホームズである」という妄想に取り憑《つ》かれるらしく、じつのところはナツメのような人物が、これまでも時折このベーカー街二二一Bを訪れることがあったのだ。彼らの多くは、実際に本物のホームズと顔を突き合わせた途端に我に返り、自分を恥じて帰っていったものだが、なかには当のホームズに向かって「さては、お前は私の偽者だな」などと息巻く者もあり、そんなときは私たちは顔を見合わせて苦笑するしかなかった。とはいえ、彼らもまた、ホームズの人とは思えぬあざやかな推理（「最近まで軍隊にいらしたようですな……除隊してまもない……高地の部隊ですね……それに下士官……ふむ、バルバドス島か」、あるいは「最近株を始められましたな？……こちらへは二輪馬車《ハンサム》で？……連れがいらっしゃる……お子さんは二人？」）を目の当たりにすると、逆に魔法が解けたように正気になって、入ってきたドアを逃げるように出ていくのが常であった。

思うにクレイグ博士は、そうしてナツメの目を覚まさせようと考えたのであろう。だが、残念ながらホームズは現在、死者から届いた謎の脅迫状の調査のために単身スコットランドに赴いていて、ロンドンを留守にしていた。

「おや、ワトスン君」

リール姉妹の話に耳を傾けていた私は、呼びかけられて背後を振り返った。

「これは依頼人が置き忘れていった品だね？」

ナツメは暖炉のわきに立てかけてあったステッキを取り上げて言った。彼はステッキをちょっと眺めただけで、すぐに投げ出し、そばのひじ掛け椅子に腰をおろした。

「じつに興味深いことだよワトスン君。こんなステッキ一本でさえ、その所有者について多くのことを語ってくれるのはね」

「へえ、どんなことが分かったんだい。ホームズ」私はリール姉妹に目配《めくば》せをして立ち上がり、ナツメが投げ出したステッキを手に取った。

ナツメは椅子に深く座り、両手の指先を合わせ、ほとんど目を閉じて言った。

「ステッキの持ち主はアメリカ人だが、最近東南アジア——いや、おそらく中国から帰ったばかりだ。彼は、大変几帳面《きちようめん》で、ひとつのことに取り組んだが最後、けっして諦めようとはしない性格の持ち主だ。近眼で、度の強い眼鏡をかけていたが、最近何かの事情で眼鏡を壊すか、なくすかしたんだね。多分、暴力に関する犯罪に巻き込まれたのだ。ほかにもいくつか興味深い点が見て取れるが、今はまあ、このくらいでよいだろう」

「しかし、きみ……いや、なんだってそんなことになるのだね?」私はすっかり面食らって、彼に尋ねた。

「初歩的なことだよ、ワトスン君」ナツメは満足げに言った。「柄の真ん中辺りに巻かれた金属の帯に〝スタンフォド〟と文字が刻まれている。そんなふうに自分の出身を誇示するのは、世界中探しても、まずアメリカ人くらいなものだよ。

ところで、握りの裏側を見たまえ、魚の形をした薄い浮き彫りが見えるだろう? 魚のヒレの形をそんな具合に図案化するのは、まったく中国に独特のものだ。もっとも、そんなことを云々《うんぬん》せずとも、ステッキの木部材質が紫檀《したん》といって、中国でひじょうに珍重され、繊細な細工物に使われていることを知っていれば、いっそう簡単に断言できることだ。

また、このステッキはなかなか年季の入った、古い品だ。握り部分には留め金を直した跡も見える。同じ品をこれほど長く、大事に使っていることから、彼が几帳面で、けっして諦めようとしない性格だ、と推理するくらい簡単なことはないと思うのだがね」

「簡単、ねえ」私はステッキを眺めて言った。「しかし、彼が度の強い眼鏡をかけていて、最近それをなくすか壊すかしたというのは?」

「ステッキの表面をよく見たまえ、最近つけられたらしい細かい傷がたくさん見える。彼はそれまで大事に使ってきたステッキを、急にぞんざいに扱って、こんなに傷だらけにしてしまったんだ。ほかの理由が思いつくかね?」

「じゃ、暴力的な犯罪に巻き込まれたというのはなぜだい？」

「石突きの近くをよく見たまえ。かすかに血の跡が残っている。だいいち、彼は長年大事にしてきたこのステッキを忘れていったのだよ。よほど気が動転していたに違いない。依頼人はおそらく、彼が巻き込まれた暴力事件の調査の依頼にここに来たんだね」

「なるほど、言われてみればそのとおりだねえ」私はさも感心したように言った。

「なあに、訓練を積んだ者にとって、このくらいのことはひと目で充分だよ」

ナツメは努めてなんでもない様子でそう言ったが、内心よほど自慢らしいのは小鼻がひくひくと動いていることからも明らかであった。一方私は、笑いをこらえるのに懸命であった。私はリール姉妹と話しながらも、目の前に置いた銀のコーヒーポットの表面に彼を映して観察していた。ナツメは、〝ひと目〟どころか、私とリール姉妹が彼に背を向けて話し込んでいるのを幸い、さっきからずっとそのステッキをひねくり回しては、子細に検討していたのだ。

私が笑いをこらえていた理由はそれだけではない。ナツメが懸命にひねり出した推理の結果は、すべて、見事なまでに間違っていたのである。

そもそも、問題のステッキは「依頼人が忘れていった」ものではなかった。私とホームズの共通の友人、スタンフォド君の忘れものである。スタンフォド君は、私がかつて聖バーソロミュー病院にいたころ、私のもとで助手を務めていた人物で、彼が下宿を紹介してくれたのが縁で私とホームズとが出会ったのだ。スタンフォド君は、無論イギリス人である。また彼のことは昔からよく知っているが、彼ほど飽きっぽい性格の人物を知らない。病院の助手のあとも、彼は何度か職を転々とし、地図を売ったりもしていたようだが、今は新聞社の派遣記者となって働いている。彼は先頃南アフリカから帰ってきたばかりで、東南アジアには一度も行ったことがない。ステッキはロンドンの古物屋で手に入れたものであった。何ごとも忘れっぽい彼は、自分の名前をステッキの中帯に彫らせているのだ。

彼は昨夜私と陽気に話し込んで、いつものようにステッキを忘れていった。ナツメが石突きの近くに見つけたという血の跡は、本物のホームズならそれこそひと目で見抜いたであろうが、実際には私たちが昨日一緒にロンドン郊外を散歩した際についた赤土であった。

「ハドスンさん、もう下がっていいよ」

ナツメはリール姉妹に軽く手を上げて言った。リール姉妹は目の前で繰り広げられるわけの分からぬやり取りに、すっかり呆《あき》れはてた様子であった。私が片目をつむり、軽く頷《うなず》いてみせると、二人はほっと肩の荷を下ろしたように立ち上がり、後ろも振り返らず、足早に部屋を出ていった。

ナツメは、リール姉妹が階段を下りていく足音を確認していたが、大きなため息をついて私を振り返った。

「やれやれワトスン君、どうやら僕もそろそろいけないようだよ」

「おや、何がいけないんだい？」

「何ってきみ、いま僕の耳にはハドスンさんが階段を下りていく足音が二重に聞こえたんだからね。探偵はすべての感覚が鋭敏でなくちゃいけない。これじゃ引退する日も遠からじだ」

「なるほど、それはいけないね」私はなんとか笑いをこらえて言った。「しかしまあ、きみはきっと疲れているんだよ。少し休養すれば、またよくなるさ」

「ふん、休養とはね。そんなものがなんになるんだい。僕に今本当に必要なのは……」と言いかけたナツメは、ふと机の上に視線を止め、急に目を輝かせて私に向き直った。

「ところでワトスン君、きみは魔女の存在を信じるかね?」

## 2　倫敦塔の怪異

「魔女？」私は呆れて声を上げた。「きみはまさか、箒《ほうき》に乗って空を飛ぶ、あの魔女のことを言っているんじゃないだろうね」

「うん、その魔女のことだよ」ナツメは平気な顔で頷いた。「きみは、彼女たちが今も、霧深いロンドンの夜の空を、自在に箒で飛び回っていると聞いて信じるかい？」

私は目を瞬《しばたた》いて、相手の黄色い顔を眺めた。が、すぐに、彼がなんのためにここに来たのかを思い出した。

「いいかいホームズ」私はかんで含めるように言った。「今やこのロンドンじゃ、夜はガス灯がともっているのだし、それに地下鉄だって走っているんだ。最近じゃ、女性のあいだでも、自転車がよほど人気のようだぜ。移動するのに、なにも好きこのんで、わざわざ箒を使う連中がいるとは、いや、僕には到底信じられないね」

「なるほど、自転車はずいぶん流行《はや》っているようだね」とナツメは不快げに顔をしかめた。

「しかし、新しいものが流行したからといって、古いものがすぐになくなるわけでもないさ」

彼はそう言うと、机の上に置いてあった新聞を取り上げた。ナツメは私に、印をつけた記事を声に出して読むよう促した。

倫敦塔《ロンドンとう》で深夜の怪音。魔女の宴《うたげ》か？

昨夜遅く、市警察に「倫敦塔から不気味な物音が聞こえる」との通報があり、巡査二名が駆けつけるという騒ぎがあった。巡査らが現場に到着した際には、すでに物音は聞こえなくなっていたが、念のために塔内部を点検して回ったところ、敷地の一角から奇怪な代物が発見された。

巡査らが最初に見つけたのは、石畳の上に飛散した藁《わら》くずと、さらに少し離れた場所に転がっていた斧《おの》であった。詳しく調べたところ、斧の刃と藁の一部には、わずかながら血と思われる赤黒い染みが付着しており、さらに藁の中に人間の女のものと見られる一房の金髪が交じっていた。

驚いた巡査らはすぐにその一角を閉鎖して、付近を調査して回った。その結果、次のようなじつに不可解な事実が、次々と発見されたのである。

普段人の近づかない塔の隅で何者かが火を焚《た》いた形跡があり、その場所に一個の鉄鍋《なべ》が残されていた。まだ湯気の立つ鉄鍋の中をのぞき込んだ巡査らは、あやうく腰を抜かすところであった。鍋の中では、カエルや蛇、ネズミにコウモリといったものが一緒くたに煮られ、そこから強い刺激臭が立ち上っていたのである(巡査たちは「生まれてこのかた、一度も嗅《か》いだことのないひどい臭いだった」と証言している)。さらに、朝になって調べたところ、鍋の周囲には大量のカラスの羽、ネズミの尻尾《しっぽ》、カエルの目玉、イモムシ、ヤギの毛などが散らばり、そのほかにもイギリスでは知られていない不思議な動物の毛や羽が交じっていた。どうやらこれらの小動物たちは、この場所で何かしらの儀式に供されたものであるらしい。

付近の住民たちは「塔の中から、すすり泣く女の声が聞こえた」「月のない夜、大箒にまたがって空を飛ぶ人影を見た」「顔のわきから羽を生やした、巨大な、恐ろしい顔を見た」「怪光線が胸壁《きょうへき》の上をさまよっていた」などと話しており、以前から深夜の倫敦塔で何か奇怪な出来事が起こっていたようである。

事件の今後の推移によっては、当局の管理責任が問われることになるであろう。

私が記事を読み上げるあいだ、ナツメはホームズを真似《まね》て椅子に深く腰掛け、両手の指を合わせた思慮深げな様子でじっと聞いていた(もっとも、ホームズ用のひじ掛け椅子は小柄な日本人にはいささか大きすぎるらしく、彼はまるで椅子の上にひっくりかえって胸の上で指を組んでいるとしか見えないのは残念だった)。

「この記事がどうかしたのかい」私は新聞を置いてナツメに尋ねた。

「おや、それじゃあきみは、この記事を読んでおかしいとは思わないのかい。この事件にはなかなか興味深い点があるじゃないか」

「そうかな。僕にはただの、最近よくあるゴシップの類《たぐい》としか思えないがね。もしかすると、倫敦塔の見物客を増やすつもりで当局が流したデマかもしれない。それにしたって、何かもう少し工夫があってもよさそうなものだがね。今どき魔女だなんて！　てんで話にならないよ」

「いやはやワトスン君、まったくきみはそうしていつも肝心な点を見逃してくれるのだからね」ナツメは嬉《うれ》しそうに手をこすり合わせ、身を起こして言った。「もしきみの言うとおりだとしたら、第一に倫敦塔のあの名物守衛、ビーフィーターたちの談話がまず最初にくるはずじゃないか。あとは何ごとかあらん、だ」

「するときみは、これが魔女の仕業だと本気でそう思っているのかい？」

「ふん」とナツメはひとつ鼻を鳴らして言った。「きみは日本の〝丑待《うしま》ち〟という儀式を知っているかい」

「いや。聞いたこともないな」

「やれやれワトスン君、きみの不勉強には困ったものだ」ナツメは大袈裟《おおげさ》に顔をしかめた。

「丑待ちというのはね、正月の丑の日の丑の時刻に……」

「ウシの時刻？」

「真夜中のことだよ」ナツメは私の無知を軽蔑《けいべつ》したように言った。「部屋の四隅に百目蠟《ひゃくめろう》燭《そく》を立てて……」

「ヒャクメってなんだい？」

「ハンドレッド・アイだよ。いいから、すこし黙って聞くんだね」ナツメは苛立《いらだ》たしげに手を振った。「その蠟燭の明かりのなかで、前日から身を清めた女が、洗い髪のまま一人じっと鏡に向かっている。すると、丑の時刻になると鏡の中に彼女の未来が浮かび上がって見えてくるんだ。これなんかも、イギリスじゃ魔女の仕業ということになるんだろうね」

「ふむ」と唸《うな》った私は、ふと思いついて尋ねてみた。「ところで、日本に魔女はいるのかい？」

「いや、幽霊や妖怪《ようかい》ならいるが、魔女はいない。なぜそんなことを聞くんだい？」

「べつに。ただきみが日本のことに急に詳しくなったと思って感心していたのだよ。日本に魔女がいるかどうかをとっさに答えられるなんて、たいしたものだね」

「それは、その……」とナツメは一瞬目を泳がせ、すぐに真顔に返って言った。「調べたんだよ。ある筋から依頼を受けてね。極秘調査のために、しばらく日本人に変装しなくちゃならなかったのだ。日本のことを知らないんじゃ、すぐに相手に正体がばれてしまうからね」

「へえ、どんな事件だったんだい？」

「いやワトスン君、だめだよ」ナツメはしかつめらしい顔で人差し指を振って言った。

「事件の詳細については、残念ながらきみにも今はまだ話せない。なにしろ極めて取り扱いの難しい外交問題がからんでいるんだ。まあ分かってくれたまえ」

どうやらナツメは、私が発表した手記を読んで、ホームズのやり口をすっかり自家薬籠《じかやくろう》中のものとしているらしい。

「だいたいあの塔には、以前からどこか奇怪なところがあると思っていたのだ」ナツメはそう言って、眉《まゆ》をひそめた。「僕は先日もあそこに行ってきたのだよ」

「倫敦塔へかい？」

「うん」と頷《うなず》いたナツメは次のように話し始めた。

「きみも知ってのとおり、あそこはまず石橋を渡って空濠《からぼり》を越えると、中塔《ミドル・タワー》があって、少し行くと左手に鐘塔《ベル・タワー》、また少し行くと右手に逆賊門《トレーターズ・ゲート》、という順番になっている。そこから左に折れると血塔《ブラッディ・タワー》がある。薔薇《ばら》戦争の際に多くの人を幽閉したのはこの塔だ。〝草の如《ごと》く人を薙《な》ぎ、鶏の如く人を潰《つぶ》し、乾鮭《からさけ》の如く屍《しかばね》を積んだ〟という場所だね。この血塔の下を抜けると広場の真ん中に白塔《ホワイト・タワー》、それからボーシャン塔。ここにカラスがいた」

「そりゃあ、カラスくらいはいるだろうさ。だって……」

「いや、それがただのカラスじゃなかったのさ」とナツメはうす気味悪そうに言った。「僕の目にはなんだか、あの塔で死んだ百年碧血《へきけつ》の恨みが凝って化鳥《けちょう》の姿となり、あの不吉な地を守っているように見えた。その証拠に、人が近づいてもあそこのカラスは少しも逃げようとはしない。それどころか、一羽また一羽と集まってきたんだからね。あげくに、翼をすくめ、黒い嘴《くちばし》を振り立てて、僕を追い払おうとさえしたんだ。なに、あれがただのカラスなものか」ナツメの声は少し震えている。

「あの塔で奇怪なのはカラスだけじゃない」と彼はすぐに言葉を続けた。「気がつくと、傍らに七つばかりの男の子を連れた若い女が立っていた。希臘《ギリシヤ》風の鼻と、珠《たま》を溶いたように麗《うるわ》しい目と、真っ白な華奢《きやしや》な首筋が美しい女性だ。そのうち、男の子が彼女を見上げて『カラスが、カラスが』と珍しそうに言った。それから『カラスが寒そうだから、パンをやりたい』とも言った。すると若い女は『あのカラスは何も食べたがっていません』と静かな声で答えるじゃないか。子供が『なぜ?』と尋ねると、彼女は長い睫《まつげ》の奥に漂うような瞳《ひとみ》でカラスを見つめながら『あのカラスは五羽います』と言って、それきり子供の問いには答えようともしないんだ。しかし、僕がいくら数え直しても、その場所には確かにカラスは三羽しかいないんだからね。僕はなんだかもうすっかり気分が悪くなって、二人を放っておいて先に進むことにした……。

ところでワトスン君、きみはあの塔の壁を子細に眺めたことがあるかい?　つまり、塔の壁に刻まれた幾多の文字のことだがね。あれはみんな塔に閉じ込められ、ふたたび日の光を目にすることなく地下に消えた囚人たちが刻んだものだ。彼らはとっくに塵《ちり》となり、文字だけが永久に残された。壁の文字は、百代の遺恨を結晶した無数の記念、死者がのこした皮肉な反語だ。壁にはじつに様々な書体、様々な言語で、言葉が刻まれていた。いったい人間は差し迫った己の死を前にしてどんな言葉をのこすものなのだろう?　僕はひじょうな興味をもって壁の文字を読んだ。ある者は〈わが望みは基督《キリスト》にあり〉と書き、別の者は〈時も砕けよ〉と書いてある。〈わが運命は悲しけれ、我につれなかりけれ〉と記した者もあれば、〈神を恐れよ。王を敬え〉と書いた者もある。文言を刻む時間のない者はかろうじて己の名前を残し、それさえも許されぬ者はわずかに頭文字だけを彫りつけて、斧《おの》の刃の下に首を横たえなければならなかったのだ。しかし、いいかいワトスン君、それでもなお、彼らはわずかな鉄片をもって、あるいは石のかけらで、あるいは己が爪先《つめさき》をもって、最後の文字を堅い石の壁に刻みつけている。彼らを駆り立てたのはどんな情熱だったのか？　恨みであったか、憤りか、憂いか、はたまた悲しみか？　いずれにせよ、すべての希望を失った者たちが、それでもなお最期に言葉を残そうとしたのは、人間というものを考えるうえで、なんとも興味深いことだね。

僕はそうして、塔の壁に刻まれたいっそう古い紋章や碑文の跡やらを調べて回っていたのだが、つい研究に夢中になっていて、気がつくと、またさっきの二人連れが近くに立っている。そうして彼女は、僕がそのときちょうど判読に苦労していた石壁の古い紋章の書きつけの前に立つや、たちまち紋章の下の題辞を朗らかに誦《とな》え始めたんだ。

この獣たちをよく見れば
四人の兄弟の名を示す
草花の縁飾に囲まれた
そのわけが分かるであろう

詳しく題辞を調べてみると、なるほど彼女が口にした文句で一言一句、間違いない。僕はすっかり驚いてしまった。あわてて背後を振り返ったが、二人の姿はもう見えなくなっていた。彼女は、あの消えかかった到底読めそうもない壁の文字を、いったいどうやって易々《やすやす》と読み取ったのだろう？　三羽しか見えないカラスを五羽と言ったのはなぜか？　いやはや、僕はなんだか魔法にでもかけられたような気がしてね。それからはぼんやりしてしまって、自分がどうやって塔から帰ったのかさえ覚えていないありさまだよ」

ナツメはしきりに首を振っている。

「しかしね、きみ」と私はようやく口を挟んだ。「倫敦塔には、カラスは五羽いるのだよ」

「なんだいワトスン君、きみもあの女性の眷属《けんぞく》か何かなのかい？」ナツメは呆《あき》れたように言う。「このうえまさか、紋章の題辞も読めるなんて言い出すんじゃないだろうね」

「無論、読めるさ」私は頷いて言った。「みんなパンフレットに書いてあるよ」

「パンフレット？」

「塔の入り口で貰《もら》っただろう。あれを見れば、倫敦塔では奉納のカラスが五羽、中世の昔から飼われてきたことが書いてある。なんでもカラスがいなくなると塔が滅びるという伝説があって、だからあのカラスたちはどこかに飛んでいかないように羽の先を切ってあるんだ。一羽でも欠けるとすぐに代わりのカラスが飼われるから、倫敦塔にはいつでも五羽のカラスがいるのだよ」

「それじゃあ、彼女が口にした文言は……」

「やはりパンフレットに、たしかそんな文言が書いてあったね」私は肩をすくめた。「それに、きみが見たという壁の文字や名前なんかは、たいていは観光客の落書きだよ。イタリア語やドイツ語で書いてあっただろう？　その件じゃ〝折角の奇麗な壁を外国からの観光客が台なしにしてしまった。塔を外国人に開放するからこんなことになったのだ〟と、先日の新聞でも問題になっていたはずだ」

ナツメはしばらく啞然《あぜん》とした様子であったが、不意に目を細め、また椅子に深く掛け直した。

「うん、そうだ。きっとそんなことだと思っていたよ」彼は両手を顎《あご》の下で擦り合わせて言った。「だから僕が言ったじゃないか。『カラスは五羽、紋章の字句はパンフレットに書いてある』と」

「僕が言ったのだよ」

「そんなことよりワトスン君、すまないが二、三確認したい点があるので、先ほどの新聞記事を書いたのが誰なのかを調べてくれたまえ。もっとも……」とナツメはちらりと私を見た。「無理なら仕方がない。そのときは第二の方法を考えるとしよう」

「壁の落書きの件かい？」

「ばかな。魔女の宴の記事だよ」

「そのことなら、お安い御用だ」私はすました顔で言った。「なにしろ、記事はスタンフォド君が書いたものだからね。彼が昨日来て、自分でそう言ったんだから間違いない。新聞は彼が置いていったんだ」

「やっ、しまった。きみの知り合いだったのか」

「いやホームズ、スタンフォド君は僕たちの友人だよ」私はとうとう吹き出してしまった。

「スタンフォド？　そういえば聞いたことがある」

「そりゃそうだろう。彼は今ちょっとした時の人だからね。そうだ、もしきみが彼に何か尋ねたいことがあるんだったら……」と私がそう言いかけたとき、ドアをノックする音に続いて、家の女主人である本物のハドスン夫人が顔を出した。

「あらワトスン先生、すみません。お客さまはもうお帰りになったとばかり思っていましたわ」

「いいですよハドスンさん。どうしたのです？」

「ええ」と彼女はちょっと困ったような顔をして、一通の手紙を私に差し出した。「さっき、これが届いたのですがね……」

受け取った封筒の表に記された宛名を見て、私は唖然となった。

シャーロック（ナツメ）ホームズ様

差出人には、ただKとだけ署名がしてある。流麗な筆跡は、どうやら女性の手で書かれたものらしい。

ナツメは宛名に気づくと、私の手から手紙を取り上げた。彼は何を思ったのか、そのまま手紙を自分の鼻先に持っていった。

「まあ、なんてことを！」

ハドスン夫人が慌てて手を伸ばしたが、ナツメはさっと身を引いて手紙を渡さなかった。

「もう下がっていいよハドスンさん。この手紙は僕に来たものだ。どうもありがとう」

「だってあなた、その手紙は……」

「大丈夫ですよハドスンさん、あとは私がなんとかしますから」

私がそう言って片目をつむると、家の女主人は首を振りながら階段を下りていった。

「白ジャスミンの香水だね」ナツメはもう一度手紙を鼻先に当てて、うっとりとした顔で言った。「高価なものだけあって、さすがに上品な、よい匂いだ」

ナツメがよほど満足そうなので、私は事実を言うのがためらわれた。というのも、私はさっき、表の通りで次のような〝事件〟が起こったことを、窓から見て知っていたのだ。事件とはつまり、使いの少年が前から来た馬車を避けようとして手紙を取り落としてしまい、運の悪いことに、手紙は道端の水たまり（おそらくは馬の小便）に落ちたことであった。少年は泣き出しそうな顔で手紙を拾い上げ、私たちの家に駆け込んできた。おや、と思っていたが、手紙は一度ハドスン夫人のもとに持ち込まれ、火で乾かされていたのだろう。もう湿ってはいなかったが、ハドスン夫人が困惑した顔をして持ってきた、またナツメが匂いを嗅《か》ぐのを慌てて止めようとした理由は、さっきから部屋の中に隠しようもなく漂っている。

ようやく手紙を鼻から離したナツメは、ふと妙な顔になった。

「どうしたんだろう、ワトスン君。見たまえ、文字がところどころでにじんでいるよ」

「雨にでも濡《ぬ》れたんじゃないのかな」私は鼻先に突きつけられた手紙から顔を背けて言った。

「しかし外は雨なんか降っちゃいないぜ」

ナツメは首をひねりながら手紙の封を切り、フールスキャップに記された走り書きを声に出して読み上げた。


ナツメ様　先日のお話を覚えていらして？

あちこち走り回って、マダム・シモーヌの降霊会の招待状をやっと手に入れましたわ。一枚の招待状で二人まで参加できるそうです。もしまだ興味がおありでしたら、四時にチェイニイ小路《ロウ》二四番地、カーライル・ホテルまでいらしてください。

K

「マダム・シモーヌの降霊会だって！」私は思わず声を上げた。「こいつは奇遇だ。じつは僕も、これからその会に行くことになっているのだよ」

「きみが降霊会に興味があるとは知らなかった」ナツメは少々驚いたように言った。「それにしても、招待状がよく手に入ったね。女史の降霊会は今や大変な人気で、招待状がなかなか手に入らないという話だぜ」

「そうらしいね」私は頷《うなず》いて言った。「招待状を手に入れたのは、僕じゃない。スタンフォド君だ。さっき言いかけたのもこのことだよ。多分、新聞社の方から手を回したんだろう。彼は昨日、僕をその会とやらに誘いに来てくれていたんだ」

「それなら話が早い」ナツメは手紙を内ポケットに大事そうにしまい、振り返って言った。「さあワトスン君、何をしているんだい。三時半までにはもうあまり時間がない。早く出かける準備をしたまえ」

ナツメに急《せ》き立てられるように、私は慌てて支度を整え、部屋を出た。

通りに出ると、彼は早速私に辻《つじ》馬車を呼び止めさせた。馬車が走り出したあとで、ナツメは私に向き直った。

「ところでワトスン君、きみにひとつ頼みがあるのだがね」

「なんだい」

「うん。今度の事件は、さっきも話したとおり極めて微妙な外交問題がからんでいる。ヨーロッパのある王室に累が及ぶかもしれない。ひじょうに高度な機密を要する事件なのだよ」

「なんだかそんな話だったねえ。……それで、僕はどうすればいいんだい」

ナツメは一度鋭い目で辺りを見回した。彼は私に顔を寄せ、声をひそめると、いっそう秘密めかして言った。

「僕のことは〝日本からの留学生、K・ナツメ〟で通してくれたまえ」

## 3　紫の女

馬車に揺られて目的地に着くまでのあいだ、私は隣りに座ったナツメの様子をじっと観察する機会を得た。彼はそわそわとして少しも落ち着きがなかった。ひとつのことを話し始めたかと思うと、すぐに別の話題に移り、私の返事などろくに耳に入っていない様子であった。彼は指先でこつこつと窓枠を打ち続け、目がきらきらと輝き、頰《ほお》がまるで高い熱でもあるかのように紅潮している。

私はやがて、あるひとつの結論に達した。そう、もはや間違いなかった。ナツメは本当に魔法にかかっているのだ。恋という魔法に！　相手は、彼に手紙をよこした〝K〟なる女性であろう。

そう考えると、すべて辻褄《つじつま》が合ってくる。ナツメがさっき、あれほどむきになって魔女の話を持ち出したのは、むしろ魔女が話題となっている場所、倫敦塔を指し示すためだったのではないか？　彼はそこで彼女と出会った。小さな男の子を連れた若く美しい女性。ナツメはこう言った。〝希臘《ギリシヤ》風の鼻と、珠《たま》を溶いたように麗しい目……真っ白な華奢《きやしや》な首筋……長い睫《まつげ》の奥に漂うような瞳《ひとみ》〟。恋をしている相手を語る以外に、誰が女性をこのような表現をもって描くであろう。そういえばナツメは〝彼女に会ったあと、ぼんやりしてしまって、倫敦塔からどうやって帰ったのかさえ覚えていない〟と言っていたではないか。おそらくナツメはその後、どこか別の機会に彼女と知遇を得て、交際を始めたのだ。

もし私のこの推理が正しければ、ナツメの妄想の理由も説明がつく。彼は日本政府から派遣された留学生だと言った。言い換えれば、ナツメには留学の成果を日本に持ち帰り、東洋の小国にイギリス文化を広める義務がある。日本人はひじょうに責任感の強い民族だと聞いたことがある。その日本人ナツメにとって、自分が国家の責務を放棄し、イギリス人女性への恋にのぼせ上がるなど、まさに言語道断の話であったのだろう。ナツメの妄想は重い責任と激しい恋、つまりは理性と情熱の間《はざま》で引き裂かれた結果なのだ。

そう診断を下すと、私は満足してほほ笑んだ。解くべき謎はもう残っていなかった。本物のホームズが帰ってくるまでに依頼人の謎を解き明かすことができたのは、私にとって望外の幸せであった。

馬車がカーライル・ホテルに着いたとき、私はすっかり油断していた。

フロントで到着を告げると、ほどなくして、目が覚めるほどに美しい紫色の長いドレスに身をつつんだ、すらりと背の高い、一人の女性が階段を下りてロビーに姿を現した。

「ナツメさん、きっといらしてくださると信じておりましたわ」

明かりを背にして立った彼女は、美しい姿をくっきりと浮かび上がらせて、低い滑らかな声で歓迎の言葉を述べた。ナツメはたちまち、はた目にも気の毒なほど真っ赤になった。

彼は慌てて私を前に押し出した。

「じつは連れがあるのです。彼も今日の会に招待されているんですよ」

「あら、そうでしたの」

と彼女はそう言って私に向き直った。初めて彼女と正面から向き合った私は、ふいに頭を殴りつけられたような衝撃を受けた。

私はまさか、二度とふたたび〝あの女《ひと》〟に会おうとは思ってもいなかった。目の前に立っていたのは、わが友ホームズを出し抜いた唯一の女性、彼が今も敬意を込めて〝あの女〟と呼ぶ、アイリーン・アドラーその人であったのだ。

「おいワトスン君、どうしたんだ。しっかりしたまえ」

ハッと我に返ると、ナツメが呆《あき》れたような顔で私を見ていた。

「淑女《レディ》が挨拶《あいさつ》をしているというのに、ぼんやりしてるとは失礼じゃないか。きみらしくもない」

彼はそう言って、改めて私たちを互いに紹介した。「こちらはワトスン博士。こちらはキャスリーン・アドラー嬢だ」

「キャスリーン？　アイリーン嬢では？」

「アイリーンは……わたしの姉ですわ」

キャスリーン嬢はわずかにうつむきかげんとなり、長い睫を下ろして言った。私はようやく自分の勘違いに気がついた。言われてみれば、彼女がアイリーン・アドラーであるはずはなかった。印象的な青い大きな瞳と長い睫、金色《ブロンド》の柔らかな髪を襟元で短く切り整え、透き通るような美しいうなじをドレスの首もとから惜し気もなくのぞかせた目の前の女性は、なるほど私の記憶にあるアイリーンにそっくりである。だが逆に、そのこと自体、彼女がアイリーン本人ではないという証明であった。

ボヘミア国王の依頼により、ホームズと私がアイリーン・アドラーに出会ったあの奇妙な事件、さらには彼女がイギリスの有能な弁護士ゴッドフリー・ノートンと手を取り合って大陸に行ってしまってから、かれこれ十五年が経つ。当時、周囲の男という男をことごとく悩殺し、手玉にとったアイリーンだが、いくらなんでも十五年のあいだ、少しも年を取らないなどということはありえない。そんなことができるのは本物の魔女だけだ。

キャスリーン嬢は、しかしなぜか姉のことが話題になるのを嫌がる様子であった。私は、残念ながらそれ以上アイリーンのことを尋ねるのを諦《あきら》めざるをえなかった。

「さあ、お二人ともこちらへどうぞ。皆さんお待ちかねですわ」

キャスリーン嬢は、優れたコントラルト歌手であった姉に劣らぬ、低く丸みのある声でそう言うと、ドレスの裾《すそ》をひるがえし、先に立って階段を上っていった。

降霊会の会場は、ホテルの中でもごく上等な、二間続きの大きな部屋であった。

部屋に入るなり、スタンフォド君が私を見つけて、小走りに歩み寄ってきた。彼は私が手にしているステッキに目を留めて、嬉《うれ》しそうに声を上げた。

「やあ、助かった。きみのところか、それともあの後立ち寄ったクラブに忘れたのかと、困っていたんだ。僕にとっては大事な品なんでね」

彼は冗談めかしてそう言うと、受け取ったステッキを軽く振ってみせた。「ところできみ、ばかに遅かったじゃないか。僕との約束は二時半だったはずだぜ？　いよいよ使いをやるか、電報でも打とうかと考えていたところだ」

「ちょうど出ようと思っていたところに、来客があってね」

「患者かい？　それとも依頼人？」

「まあ、どっちもだ」私は笑って言った。「それがおかしな話でね。結局、彼とは一緒にここにまで来ることになった」

「それで、どこにいるんだい、そのおかしな依頼人とやらは？」

「おや、どこに行ったんだろう？」私が振り返って、辺りを見回していると、当のナツメがドアから入ってきた。

「彼だ」と言った私は妙なことに気づいた。ナツメの顔色が、なんだか不自然だった。スタンフォド君が呆れた声で私に囁《ささや》いた。

「なんだい、ありゃ？　顔に厚くクリームでも塗りつけてあるみたいだぜ」

そういえば、ここに来る馬車の中で、ナツメはしきりに鼻のアバタを気にしていた。厚く塗られたクリームは、好きな女性の目からアバタを隠すためのものだろう。

部屋に入ってきたナツメは、ひょこひょことなんだかおかしな歩き方をしている。スタンフォド君に促されて足下を見れば、ナツメは爪先《つまさき》立ちになり、背伸びをするようにして歩いているのであった。……こちらは自分がキャスリーン嬢より背が低いことを気にしてのことらしい。だが、固い地面の上ならともかく、毛足の長い絨毯《じゅうたん》を敷いたホテルの部屋でそんな歩き方をしては無事にすむまい。「きみ、危ないぞ」と声をかける間もなく、ナツメはバランスを崩してよろめき、倒れるところを危うく傍らのテーブルに手をついた。たちまちテーブルがぐらりと揺れて、載っていた空のグラスが床に転がり落ちた。ナツメは慌ててしゃがみ込み、グラスを拾い上げた、まではよかったが、起き上がろうとして、テーブルの縁《ふち》にしたたか後頭部を打ちつけ、頭を押さえて後ろによろめいたところを今度は絨毯に足を取られ、ドアに向かって背中からまともに倒れかかる。

ナツメはそのまま背中でドアを押し開け、後ろ向きに転がるようにして、今入ってきたばかりのドアから退場してしまった。

「こいつはまた……」スタンフォド君は、ナツメが出ていったドアと私の顔とを交互に見比べていたが、ついにこらえきれなくなった様子で吹き出した。

「何か面白いことがございまして？」

振り返ると、ナツメに奇妙な魔法をかけた当の本人、キャスリーン嬢が紅茶のカップを手に立っていた。

「いえ、なんでもありません。なんというか……」スタンフォド君がくすくすと笑いながら私を見た。

「ちょっとした喜劇ですよ」私は肩をすくめ、なるべく表情を変えずに答えた。

「どっちかって言うと悲劇だろう」スタンフォード君が言った。

キャスリーン嬢は我々の会話が理解できなかったらしく一瞬訝《いぶか》しげに眉《まゆ》をひそめたものの、すぐに何もなかった様子で私に尋ねた。「博士は、ナツメさんとはいつからお知り合いですの？」

「じつは、ほんのさっきからです。あなたは？」

「わたくしは自転車屋で」

「あなたが自転車に乗られるのですか？」

「こう見えても全英サイクリスト協会の会員ですのよ。週末には、よく一人で郊外へ遠乗りに参りますわ」

「一人で遠乗りですって。そいつは危険だ。おやめなさい」スタンフォード君がわきから口を挟んだ。「あなたのような若くて美しい女性が、一人で自転車に乗って郊外を旅行するのは、悪漢に襲ってくれと言っているようなものですよ」

「ご心配ありがとうございます」とキャスリーン嬢は、紅茶を一口飲んでから、にこりと笑って言った。「ですが、自分の身くらいは自分で守れますのよ」

彼女はそう言うとカップをテーブルの上に置き、腕に掛けたハンドバッグから小さな婦人用のピストルを半分だけ取り出して見せた。

「一人で自転車に乗るときは、いつもこれを携帯することにしていますの」

「そりゃまあ、用意のいいことで……」

「自転車屋とおっしゃいましたが」と私は尋ねた。「もしかすると、彼とはその前に倫敦塔で会ってやしませんか」

「あら、ご存じでしたの？ ええ、一度倫敦塔でお会いして、もっともそのときはすれ違っただけでしたけれど、二度目に自転車屋でお会いしたときに、ナツメさんの方から声をかけてくださったのです。お友達になったのは、それからですわ」

「なるほど。お友達、ねえ」

「ナツメさんにはいろいろと、日本の役に立つことを教えていただきましたのよ。例えば、わたしたち女性が自転車に乗るときの服装ですが、長いドレスがよく車輪にからまって、なかなかやっかいなのです。男性の方のようなニッカーボッカー——わたしたちはラショナル・ドレスと呼んでいますが——では、自転車に乗るのはよくても、街を歩けませんし、わたしなどはよく、すっかり男装して乗っておりましたが、これは皆に勧められる方法ではありませんものね。そこでナツメさんは、日本の伝統的服装、ハカマがよいのではないかと提案されて、実際に取り寄せてみると大変具合がよいのです。わたしが自転車に乗るときは、今ではすっかりハカマ党ですわ」

「ちょっと教えてくれんかな」と不意に野太い胴間声《どうまごえ》が私たちの会話に割り込んできた。

顔を向けると、声の主は、がっしりとした体格の、赤ら顔の、真っ白な口ひげを生やした、六十がらみの紳士である。彼はその細い目に覆いかぶさるほど生い茂った、やはり雪のような、もじゃもじゃの太い眉をひくつかせて言った。「自転車に乗ると、風圧でだんだん顔がゆがんでくるというのは本当かな？　なんでも、最近の若い連中のあいだには〝自転車顔〟というやつが流行《はや》っているそうじゃないか」

「失礼ながら？」私は紳士に体ごと向き直って尋ねた。

「こちらはオズボーン卿《きょう》。今日の会の主賓でいらっしゃる」スタンフォド君が教えてくれた。

「いやいや、主賓などと。わしが貴族だからといって特別扱いをしてくれるな」卿は、口ひげを震わせて言った。「これからはむしろ、きみら労働者の時代じゃよ。平等。団結。それからリアリズム。〝生きるべきか死ぬべきか？〟……うむ、万事何ごともこの台詞《せりふ》に尽きておるわい」

その言葉で私はロバート・オズボーン卿の名前を思い出した。卿の名前は、由緒ある貴族の当主としてより、社会主義とシェイクスピア芝居が三度の食事《めし》より好きだという、その変人ぶりによって広く社交界に知られていた。なにしろ、社会主義の立場から、〝ロバート卿〟の愛称で呼ばれることを好むという、いささか変わった癖の持ち主である。もっとも、ご本人にお目にかかるのは、この度が初めてだった。

「それでは」と私は少し不思議に思って尋ねた。「今回の会の費用はロバート卿がお出しになられたのですか？」

「なんだ、それじゃきみは知らないで来たのかい」スタンフォド君が呆《あき》れたように口を挟んだ。「今日の降霊会は、誰からも一切お金を取らないんだよ」

「まさか？　まったく無料《ただ》ってことはないだろう」

「彼女が本物だという証拠ですわ」キャスリーン嬢が言った。「困ったことに、最近のロンドンでは偽の霊媒師が高いお金を取るインチキ降霊会が横行していますものね。白状すれば、わたしも何回か騙《だま》されたことがありますのよ。でも、マダム・シモーヌに限ってはそんな心配はいりません。だって誰からもお金を取らないのなら、インチキをしても仕方ないですものね」

「それで、肝心の霊媒師はどこにいるのです？」

「彼女は今向こうの部屋で、霊との交信に備えて、瞑想《めいそう》中ですわ」

「それにしても」とロバート卿が苦虫をかみつぶしたような顔で口を開いた。「こんなけちな会に費用を出したとは、わしもずいぶん見くびられたものじゃな。テーブルの上を見なされ、紅茶にスコーン、あとは水だと？　キャビア付きのカナッペどころか、上等の巻きタバコも、クラレット一本ありゃしない。わしがこんなけちくさい食い物を出すものかね。今回はうちのやつに無理やり引っ張ってこられただけじゃよ」

ロバート卿が忌ま忌ましげに顎《あご》をしゃくった先には、上品な灰色のドレスを身にまとった痩《や》せた中年のご婦人が、やはり紅茶のカップを手に、取り澄ました様子で立っていた。ロバート卿よりは、少なくとも二十歳は若く見える。整った、冷たい感じのする横顔は、まだ充分美人として通用しそうであった。

「レディ・リリー・オズボーン、つまりオズボーン夫人だ」スタンフォード君が私に耳打ちをしてくれた。

「うちのやっときたら、少し前までは教会だ、慈善会《チャリティー》だとさんざん騒いでおったと思ったら、こんどは心霊ときた。わしが〝宗教は民衆の阿片《アヘン》だ〟といくら口を酸っぱくして言っても、耳を貸そうともしないんだから……」

「失礼、オズボーン卿」キャスリーン嬢がにこりと笑って口を挟んだ。「わたくしは向こうに行った方がよろしいようですわね」

彼女は小さく会釈して私たちの輪を離れ、老婦人に歩み寄った。二人は早速、小声で何か話を始めたようである。

「〝牛は牛連れ、女は女同士〟ってわけじゃな」卿は鼻を鳴らして、スタンフォド君を振り返った。「ところできみ、どこかで見た顔じゃな。さっきから思い出そうとしているんじゃが……？」

「僕なんて、卿に比べたら、ただの無名人ですよ」スタンフォド君はそう言って笑うと、袖口《そでぐち》からハンカチを取り出して額を拭《ぬぐ》った。

「袖口にハンカチ？　南アフリカ風じゃな。……や、思い出した！」ロバート卿は分厚い手ではたと自分の額をうった。「そうか、うっかりしていたわい。きみはたしか、ブーア人との戦争で向こうに行って、運悪く敵の捕虜になったものの、幾多の苦難の末についに単身脱走に成功したという、あのスタンフォド君じゃな。きみはイギリスに帰ってきて、そのことを新聞記事に書いた。うん、あの記事はなかなか面白かったわい」

「お褒めにあずかって光栄です」スタンフォード君はつつましく言った。「もっとも私は、従軍記者として戦争に行って、自分の務めを果たしただけですよ」

「いやいや、褒めておったのはわしだけじゃないぞ。うちの屋敷の使用人連中ときたら皆大騒ぎで、きみを凱旋《がいせん》将軍か何かだと思っておるようだぞ。さしずめきみは労働者の英雄じゃな」

「そうとも、きみはたいしたことをやってのけたんだ。謙遜《けんそん》することはないさ」と私は言った。「銃弾に当たって、さっさと除隊になった僕なんかとは大変な違いだ。友達として鼻が高いよ」

「たしか叙勲の話も出ておったな。それとももう貰《もら》ったんじゃったかな？」

「たんなる噂ですよ。私が士爵《ナイト》だなんて……」

「士爵じゃと。やっぱり気にしておるじゃないか。さては次の選挙では貴族院に打って出るつもりじゃな？」

ロバート卿はそう言って豪快に腹を揺すって笑った。スタンフォード君が顔を赤くしているところへ、またいつの間にか部屋に戻ってきたナツメが、残る一人の若い女性を伴って近づいてきた。

「ワトスン君、紹介しよう。こちらは、エミリー・ホワイト嬢。シティの銀行でタイピストをしていらっしゃるそうだ」

ナツメが紹介したのは、長い亜麻色の髪の、顔一面にそばかすを浮かべた、頬の赤い、小柄な女性であった。細い銀縁の丸眼鏡をかけ、いつも驚いているように大きく目を見開いている。年齢は、参加者のなかではもっとも若く、まだ二十そこそこにしか見えない。身につけた袖の長いうすい黄色のドレスは、きちんとしてはいるが、キャスリーン嬢やオズボーン夫人と見比べると、さすがに安物の印象は拭えなかった。

私は、ロバート卿がナツメを見て怪訝《けげん》な顔をしているのに気づいて、急いで「彼は私の患者です」と耳打ちをしておいた。

エミリー嬢は、ロバート卿を紹介されると、驚いたように目を丸くした。

「まあ、それじゃあ本物の貴族でいらっしゃるの？　どうしましょう、わたくし貴族の方に対してどんなふうに話してよいか知りませんのよ。なんとお呼びすればいいのかしら？　閣下《ユア・グレイス》？　陛下《ユア・マジエスティ》？　それとも、卿《ミ・ロード》？　奥様はレディ・オズボーンでよろしいのかしら？」

「いやいやお嬢さん、そう構えてくださるな」ロバート卿は首を振って言った。「タイピストとおっしゃったな？　ふむ、だとすればあんたたちこそは立派な労働者《プロレタリア》、来《きた》るべき未来の担い手にして階級闘争の最終的勝利者ですぞ。理想社会の到来は近い！　〝万国の労働者よ、団結せよ〟。社会主義が実現した暁には、閣下もへったくれもありませんからな」

エミリー嬢がぽかんとした顔をしているので、ロバート卿は苦笑して言った。

「つまりじゃな、ほれシェイクスピアも言っておるじゃろう、〝人間、衣装をはぎとれば、おまえのように哀れな裸の二本足の動物にすぎぬ〟とな。わしのことはロバートと呼んでくだされ。うちのやつはリリーでよいわ」
「分かりましたわロバート」エミリーはにこりと笑って言った。
ロバート卿は、うむと呻《うめ》いたきり黙ってしまった。まさか、本当に呼び捨てにされるとは思ってもいなかったらしい。
「ところできみたちは、向こうで何を話していたんだい?」私はひとまず話題を変えるこ
とにした。
「わたくし、この方に全イギリス人を代表してお詫《わ》び申し上げていましたのよ」エミリー
は神妙な顔で答えた。
「はて、イギリス国民が彼に何か悪いことをしたかな?」
「この方に、というわけではありませんわ。わたくしがお詫びしていたのは、イギリスが
この方のお国に阿片を輸出したこと、それに阿片の取り締まりを口実に戦争を仕掛けたこ
とですわ。あれは、誰がなんと言っても人道に悖《もと》る行為でしたわよ。なにしろ、あのとき
イギリス人は、すでに阿片が有毒だと知っていたんですからね」
エミリーは、どうやら女子学校で教わったとおりのことを、憤然としてまくし立てた。
「しかしきみ」スタンフォド君が言った。「あれはわが国が中国に対して行った政策で、
ナツメさんは日本の人だよ」
「あら、日本は中国と同じじゃありませんの? わたくしてっきり、日本は中国の中にあ
るとばかり思っていましたわ」

けろりとした顔でそう言う彼女に、昨今の中国を巡る列強の複雑な力関係や、まして先年の義和団《ボクサーズ》の乱における日本軍の役割など、説明するのはとうてい不可能だと思われた。

一方ナツメは、と見れば、彼は黙ってにやにやと笑っているだけであった。

「ところでロバート卿《きょう》、あなたは今朝なにやら心配事がおありでしたね？」ナツメが尋ねた。

卿は一瞬ぎょっとしたような顔になった。が、顎の下をなでて、にやりと笑った。

「ははあ、ひげじゃな。なるほど、背が低いあんたの目にはよく見えるじゃろうな。だが残念ながら、今朝わしが顎ひげを剃《そ》り残したのは、いつも使っている愛用の剃刀《かみそり》を研ぎ屋に出しておったからじゃよ。……まあよい。なかなか面白い。それで、ほかに何か分かるかね？」

「ジャイルズという男の名前に覚えはありませんか？　あなたは彼の件で悩みがおありのはずです」

「こいつは驚いた！　きみはまさか、あの男の知り合いじゃないだろうな」

「とんでもない。ごく初歩的な推理の結果を申し上げただけですよ」ナツメは得意げに小鼻をひくつかせて言った。「私がこの部屋に入ってきてからでも、あなたは何度か上着のポケットから封筒を取り出しては、顔をしかめてそれをまたポケットに突っ込んでいました。私はただ、封筒の差出人が〝ジャイルズ〟という男名前であることを読み取っただけです」

ナツメはロバート卿に一礼すると、改めて私に向き直った。

「どうだいワトスン君、二、三世紀も前なら僕はあやうく火炙《ひあぶ》りになっているところだ。そうじゃないかい？」

「ワトスン博士ですって！　まあ、わたくしとしたことが！」エミリー嬢が、私とナツメを見比べて、甲高い声を上げた。「それじゃあ、あなたはあのシャーロック・ホームズさんですのね。わたくしったら、さっきからお話ししていたのに、全然気がつきませんでしたわ」

ナツメはべつに否定する様子もなく、ちょっと肩をすくめてみせた。

「シャーロック・ホームズさん」エミリーは早口に続けた。「わたくし、あとでアドバイスをいただきたいことがありますの。――わたくし、今、恐ろしい苦境に立たされておりますのよ。大、大、大苦境ですわ！　それって、あなたお好きでしょう？　よろしい？　まあ、嬉《うれ》しい！　ここでお会いできるなんて、なんて幸運なんでしょう。……今日はパイプをくわえていらっしゃらないのね。パイプなしじゃ、なんだか雰囲気が出ませんわ。お持ちですの！　まあ素敵！　では、鹿撃ち帽《ディアストーカー》は？　拡大鏡は？　バイオリンはお持ちでないですの……？」

「どうなっているんだね、きみ」ロバート卿が、私とナツメの顔を見比べながら尋ねた。「するとこのお人は、かのシャーロック・ホームズ氏が、日本人に化けたところの、ナツメさんだというのかね？」

「まあ、そういうことです」

「やれやれ、なんともややこしい話じゃな」

「化けた、ではなく変装ですわ」エミリーが振り返って言った。

「さては顔に分厚く塗りつけた、その妙なクリームが変装というわけじゃな」

「あ、いや、皆さん」鹿撃ち帽を斜めに被《かぶ》ったナツメは、火のついていないパイプを口から離して言った。「このことはどうかご内聞に願います。私は現在、さる政府筋の高官からの依頼で、ヨーロッパの歴史をも動かす大事件を極秘捜査中でしてね。変装もそのためなのです」

「まあ、そうでしたの」エミリーが口に手を当てて言った。「それじゃ、ナ、ナ、ナツメさん。日本についてお話ししてくださいな。どうやらわたくし、日本について少しく勘違いをしていたようですわ」

「日本ですか」ナツメが顔をしかめた。「なに、つまらぬところですよ」

「フジヤマという美しい自然があるそうだね」私が尋ねた。

「なるほどフジヤマは美しい」ナツメは皮肉な形に唇をゆがめた。「だが、日本にはあれよりほかに自慢するものが何もないんだ。ところがフジヤマは天然自然に昔からあったものので、日本人が拵《こしら》えたものじゃない。つまり、日本人が自慢するものは何もないということだよ」

「女性はいかがですの？　美しい方はいらっしゃって？」

「女性なら、イギリスの方がよほど美しい人がいますよ」

ナツメはそう言うとちらりとキャスリーン嬢を盗み見た。たちまち彼の顔がまだらに赤くなり、そわそわし出したのを見て、スタンフォード君が無音の口笛を吹くように唇をとがらせた。彼は、私を振り返っておどけた調子で呟《つぶや》いた。

「なるほどね。〝その目に見られて私の心は二つに裂かれてしまった〟。……そういうことかい？」

「〝わが喜びは東方にあり〟」私が言った。

「それを言うなら〝向こうは東、とすればジュリエットは太陽〟じゃろう」ロバート卿が調子にのって続けた。

「あら、今度はなんのお話ですの」エミリー嬢が私たちを見回し、目を輝かせて尋ねた。

「待って、わたくしが当てますわ。東？　シティの東端は倫敦塔ですわね。塔に楽しいことがありまして？」

私たちは顔を見合わせ、低く呟き合った。

「〝心弱きもの、お前の名は女〟」

「〝尼寺へ行くがいい。罪深い子の母となったところでなんになる〟」

「〝ああ、女の皮を被った虎の心！〟」

「今なんとおっしゃいまして、ロバート」エミリーが最後の言葉を耳聡《みみざと》く聞きつけて言った。「虎の皮を被った女ですって！　まあ、では皆さんでわたくしのことを話していらっしゃったのですわね」

「いやいやお嬢さん、誤解なさるな」ロバート卿は慌てて手を振った。「わしらは今、三人の魔女について話しておったんじゃよ。ほれ、『マクベス』の冒頭に出てくるじゃろ。〝奇麗は汚い、汚いは奇麗……〟」

「嘘ばっかり」

「なんの嘘なものか。あんたも知っておろう、その魔女たちが最近倫敦塔に出没しておることを。なあきみ、そうじゃな」

「えっ？　ええ、そうですとも」

と急に話を振られたスタンフォド君は、つんのめるように続けた。

「近ごろ倫敦塔では、夜毎に〝魔女の宴《サバト》〟が行われている。……それが街のもっぱらの評判です。物見高い連中は、毎夜塔を取り巻いていますよ。そう、魔女の顔を見たという者もいる。なんでも黒でもないし白でもないし、得体のしれない色だったそうです。粘土にミルクをぶっかけたような……大きさは普通の人間の三倍はあったということです。しかもその顔つきとくるや大きな目玉がぎょろっとして、飢えた野獣みたいに歯を剝《む》き出しにしていたのだと……」

「不意にかき消すように見えなくなったんだって？」私が助け船を出した。

「それに、ほれ、ほかにも妙な話があった。たしかロンドンには棲《す》んでいるはずのない鳥の羽が見つかったと騒いでおったぞ」

「ああ、それならきっと白フクロウの羽ですよ」スタンフォド君が得意げに言った。

「さもあろう」ロバート卿《きょう》が頷《うなず》いた。「魔女と箒《ほうき》、それにフクロウは切っても切れぬ間柄じゃからな」

「猫はどうしたのだろう？」私は首を傾げた。「魔女には猫もつきもののはずだがな」

「そういえば猫の話はまだ聞かないな。しかし、もしかすると……」

「……本当ですの？」

不意にわきから声が発せられた。振り返ると、キャスリーン嬢がひどく青ざめた顔で立っていた。

「今のお話は本当ですの？」キャスリーン嬢はもう一度、震えた声で尋ねた。

「もちろんデマに決まっていますよ」私が答えた。「多分、観光客目当てに当局がでっち上げたのでしょう。それにしたって、今どきこのロンドンに魔女だなんて……」

「いいえ、その話ではございませんわ」

「それでは、はて、何をお尋ねですかな？」ロバート卿が聞いた。

「白いフクロウがどうしたとか、おっしゃっていましたわね？」

「おお、確かにそんなことを話しておった」ロバート卿が、ぽんとひとつ手を打った。

「ははあ、分かった。さてはあなた、博物学に興味がおありなのですな？　聞いておりますぞ、最近の学会では新種の動物がもてはやされておるそうですな。しかし残念ながら、今回は新発見というわけにはいきますまい。見つかったのは、なるほどロンドンでは見かけない鳥らしいが、大方、今回の魔女騒ぎをもっともらしくするために誰かが羽を持ち込んだものに違いあるまいて……」

ロバート卿の熱弁にもかかわらず、キャスリーン嬢は空色の瞳を中空に据え、ハンカチをきつく握り締めて、途中からほとんど話を聞いてはいなかった。ナツメがおろおろとした様子で彼女に近づき、そのとき不意に、音もなく部屋の奥の扉が開いた。

「……オ待タセイタシマシタ」

扉の奥から外国語なまりのしゃがれた声が聞こえ、続いて姿を現したのは、ひどくしなびた顔の、小柄な一人の老婆であった。腰が曲がっていることもあって、身長は五フィートにも満たない。二本の足と節くれだったカシの杖《つえ》でようやく支えた体には、真っ黒のゆるやかなガウンを羽織り、頭にはやはり黒い鉢状のぴったりとした帽子を被っている。だがそればかりではなく、老婆は、見る者をぎょっとさせるような一種異様な雰囲気を身辺に漂わせていた。皺《しわ》だらけの薄い唇といい、先の垂れ下がった細い鼻先といい、まるで子供のころに聞かされたお伽噺《とぎばなし》の魔女そっくりであった。老婆は、ぎろりとした薄い灰色の瞳《ひとみ》で、上目づかいに部屋を見回した。

「マダム・シモーヌ、彼女こそ現在ヨーロッパでいちばん有名な霊媒師ですわ」

キャスリーン嬢が少々うわずった声で老婆を一同に紹介した。霊媒師は軽く顎《あご》を引いて頷くと、薄い唇を開き、さきほどのしゃがれた声で何ごとか早口に言った。

「フランス語だね」スタンフォード君が私にそっと耳打ちをした。

「〝降霊の準備が整った〟とおっしゃっていますわ」キャスリーン嬢が通訳をしてくれた。「〝どうぞこちらの部屋へ〟と」

霊媒師のあとに従って、まずキャスリーン嬢、エミリー、続いてオズボーン夫人の三人の女性が扉の向こう側に姿を消した。

「さて」とスタンフォド君が困惑したように部屋に残った男たちの顔を見回した。「我々も行きましょうか？」

「あれがヨーロッパでいちばん有名な霊媒師だと？」ロバート卿がうんざりしたように首を振った。「〝ヨーロッパを魔女が徘徊《はいかい》している〟か……。やれやれ、マルクスがこのありさまを見たら、さぞ嘆くことじゃろうな」

## 4　降霊会

部屋の中央に丸テーブルがひとつ——。

テーブルの上に置かれた大きな燭台《しょくだい》に火が灯《とも》り、蠟燭《ろうそく》の明かりが部屋の中を照らし出している。窓には厚手のカーテンが下ろされ、そのうえ厳重に目張りをしているらしく、外からの光は一切漏れてこない。テーブルの周りには、簡素な木製の椅子が八つ並べられ、椅子と椅子のあいだには腰の高さほどの台、さらに台の上の広口の東洋風の花瓶にはいずれもたくさんの白椿《しろつばき》が活《い》けられてあった。

マダム・シモーヌが差し出したくじを引いた結果、部屋のいちばん奥のマダム・シモーヌから時計回りにロバート卿、スタンフォド君、私、と男ばかり三人が続き、そのあとエミリー、オズボーン夫人、ナツメ、キャスリーン嬢の順番となった。

「ほう……『椿姫』じゃな」

椅子に腰をおろすなり、ロバート卿が頭上を見上げて呟いた。

なるほど、椅子に座ると頭の上から椿の花が覆いかぶさってくる感じがする。もっともこの季節に白椿は妙なので、不思議に思ってさわってみると、案の定よくできた造花であった。テーブルの上には、そのほかにも、こういった降霊会にはお決まりの品々、つまりタンバリンや角笛といったものが並べられていた。

ロバート卿はどうしたことか、部屋に入ってからというもの、妙にそわそわと落ち着かない様子で、またおどけたようにアリアの一節を口ずさんだ。

「〝女心とは風におどる、羽のように気まぐれなもの……〟」

「あなた、少しお黙りくださいな」オズボーン夫人が表情も変えず、冷ややかな声で言った。「だいいち、今お歌いになったのは〝女心の歌〟。『リゴレット』で、『椿姫』ではありませんわ」

「おや、そうだったかい。ま、ブルジョア趣味のイタリア・オペラなんぞ、どれも同じようなものさ」

卿が黙るのを待って、マダム・シモーヌがしゃがれた声で口を開いた。

「ワ、タ、シ、タチノ降霊会ニ、ヨウコソイラッシャイマシタ」

老霊媒師はそう言って、天井の辺りにぐるりと視線を走らせた。釣られて全員が天井を振り仰ぐと、風もないのに白椿がかすかに揺れており、その陰で誰かが笑ったような気がした。

「霊タチモ、アナタガタヲ歓迎シテイマス。……早速始メルトシマショウ……てーぶるノ上ニ手ヲ置イテクダサイ。コンナ具合ニ……イイデスカ？　デハ、誰カ灯火《あかり》ヲ消シテクダサイ」

入り口にいちばん近く座っていたエミリーが、青い顔で、飛び上がるように立ち上がった。彼女が燭台に手を伸ばした瞬間、ロバート卿がふたたび口を開いた。

「ちょっと待ってくれんかな」卿はそう言ってエミリーを止めると、マダム・シモーヌに向き直った。「もう明かりを消す？　会を始めるですと？　いやいや、そうはいきませんぞ。その前に、あんたが本物の霊媒師かどうかを、わしに証明してくださいませんとな」

「あなた！」オズボーン夫人が甲高い声を上げた。「今さら証明だなんて、マダムに失礼ですわ」

「失礼なことがあるものか。ハムレットも言っておろう。〝さあ、答えてくれ、すぐにも疑いの雲を晴らしてくれ〟と。まして、この進歩とリアリズムのご時世に、霊などといううさん臭いものの証明を求めて、はて、どこが失礼だというのじゃな？」

「あなたがお好きなハムレットはこうも申しておりますわ。〝この天地のあいだには、学者の思いもよらぬことがたくさんあるのさ〟と」

「なに、あれは単なる芝居の台詞《せりふ》じゃよ」卿は恬《てん》として取り合わなかった。

マダム・シモーヌは、テーブル越しに交わされる夫婦のやり取りをじっと聞いていたが、隣りに座ったキャスリーン嬢に向かってなにか早口のフランス語で言った。

「マダム・シモーヌはこう申しております」キャスリーン嬢が落ち着いて通訳をした。

「わたしは、ロバート卿のように霊を信じることのできない不幸な人がたくさんいることを知っています。しかし、誰がなんと言おうと霊は実在します。これは疑いようもない事実であり、おそらくごく近い将来には、科学的にもはっきりと説明がつくことでしょう。わたしが申しているのはべつに特別なことではありません。霊との交信は、実際には誰もが無意識に経験していることなのです。例えば、皆さんはこんな不思議な経験がおありではないですか？　誰か身近な人を不慮の事故で亡くしたとき、その前になにか前兆を感じた……例えば前の晩に黒猫の夢を見たといったことをご自分で経験した、もしくは誰かから聞いたことが、誰しも一度ならずあるはずです。また、激しい胸騒ぎを覚えてその夜だけいつもの寝台で休むのをよしたところ、夜のうちに棚から青銅の置物が、ちょうど枕の位置に落ちてきて、危うく命を救われた。なんだか嫌な予感がして、いつも通る道を避けたところ、あとからちょうどその時間にその道をたまたま通りかかった別の人が強盗に襲われて亡くなったと聞く……。これらは普通、胸騒ぎや、予感、第六感などと呼ばれていますが、実際には霊の働きかけによるものなのです。考えてもみてください、例えば中世の電気の働きを知らない人間に、今日《こんにち》の電灯の話をいくら聞かせたところで、彼らはきっと火を使わないで明かりを得ることなど信じようとはしないでしょう。同じことが、今日の霊についても起きているのです。おそらくごく近い将来、霊の存在は科学的に証明されるでしょう。そうすれば〝霊は確かに存在する〟のだし〝霊の声を聞くことで、人間はちゃんと先のことが見通せる〟ということも納得されるはずです……」

ロバート卿はふんとひとつ、小ばかにしたように鼻を鳴らした。

マダム・シモーヌはまたキャスリーン嬢に向かって、何ごとか囁《ささや》くように言った。

「マダム・シモーヌはこう申しております」キャスリーン嬢が言った。「これだけ言ってもまだお疑いということであれば、いいでしょう、わたしはこれから皆さんの目の前で霊の存在を証明してみましょう。ただし、この実験が成功したときには、何人《なんぴと》もその結果をけっして軽んじないと約束をしてください。なぜならこれは、わたしにとってはひじょうに神聖なことなのですから」

「こりゃ、面白い！」ロバート卿《きょう》が声を上げた。「よろしい、シェイクスピアとマルクスの両方の名にかけて結果を尊重しますぞ。もし本当に証明できたら、じゃがな」

「誰カ、紙ヲ一枚クダサイ」マダム・シモーヌが訛《なま》りの強い英語で言った。

エミリーがすばやく自分の鞄《かばん》を探り、タイプ用の粗末な紙を一枚引っぱり出した。マダム・シモーヌは、受け取った紙に無造作に横に四本の線を引き、それをロバート卿に回してよこした。

「五ツノ欄ニ、ソレゾレ一人ズツ、五人ノ名前ヲ書キナサイ。ソノ中ニ一人ダケ、死者ノ名前ヲ加エルノデス」

ロバート卿は訝《いぶか》しげな、少々引きつった顔で頷《うなず》き、ペンを手に紙に向かった。

「ワタシガ知ラナイ人ニシテクダサイ」

ロバート卿がまさに名前を書こうとした瞬間、霊媒師が注意を与えた。

「イイデスカ。クレグレモ、ワタシガ知ラナイ名前ヲ書クノデスョ……」

その後もマダム・シモーヌは、ロバート卿が紙片に向かっているあいだ、くどいと思われるほどその注意を与えた。霊媒師は五人の名前が書き上がった紙を受け取ると、紙を四本の線で丁寧に切り離し、それぞれを枯枝のような細い指先を使って小さな紙玉にした。そして、自分の黒い鉢状の帽子をとって、五つの紙玉を投げ入れた。

「ゴ自分デ、紙玉ヲヒトツズツ、てーぶるノ上ニ投ゲ落トスノデス」

霊媒師はそう言って、帽子をロバート卿に渡した。

参加者が息を呑《の》んで見守るなか、ロバート卿が紙玉をひとつずつ帽子から取り出し、テーブルの上に投げ落とした。

一つ、二つ、三つ……、四つ目の紙玉が落とされた瞬間、突然テーブルに何か固いものがぶつかったときのような、相当に大きな音が鳴り響いた。マダム・シモーヌは満足げに頷き、四つ目の紙玉を取り上げると、それを灰皿にのせ、マッチで火をつけた。一瞬、小さな紙玉一個とは思えぬほど、高々と白い炎がきらめき、すぐに消えた。

「死者ノ名ハ、びりい・わときんず！」マダム・シモーヌが、炎の消えた辺りを一字一字指でなぞるようにしながら、おごそかに言った。

「ばかな！　分かるはずがない！」ロバート卿がうわずった声で悲鳴を上げた。「ビリイを……わしが子供のころに屋敷にいた爺《じい》やの名前をなぜ知っている？　もう何十年も前に死んだんだ。この女が知っているはずがない……」

ロバート卿は最後はうわ言のようにそう呟《つぶや》き、私はその瞬間、なにか冷たいものが背中をはい上がってくるのを感じた。私自身、確かに死者の名を、たった今炎の中に見たことを思い出したのだ……。

「オ分カリニナリマシタカナ」マダム・シモーヌのしゃがれ声に、私ははっと我に返った。

「コノトオリ霊ハ実在シマス。彼ラハ死ンダ後モ、ワタシタチニ語リカケテイマス。ワタシタチハ、彼ラノ声ニ耳ヲ傾ケルベキナノデス……」

私はその後、すっかり魂を抜かれたように、霊媒師の語る説明に耳を傾けることになった。

「まず注意していただきたいのですが（と、以下はまたキャスリーン嬢が通訳をしてくれた言葉である）。これから行う降霊会のあいだ、皆さんには両隣りの人としっかりと手をつないでもらいます。その手を、どんなことがあっても離さないでください。霊のなかにはひじょうに強い力を持ったものがあり、彼らが立ち去るときに参加者の霊も一緒に向こうの世界に連れていってしまうことがあるからです。両方の人と手をつないでいる限りは、そういったことにはなりません。

また時には、霊が皆さんの前に姿を現すこともあるでしょう。しかしその場合、くれぐれも霊に触れないようお願いします。姿をとった霊は一般に大変力が強く、皆さんの魂にとって危険ですし、またそれ以上に霊媒師にとって危険だからです。というのも、霊がこちら側の世界に現れるためには、霊媒師の生きた肉体を使わなければならず、霊の姿をしているのは、実際には霊媒師の口から流れ出したある種の気体の凝結なのです。もし誰かが姿をとった霊に触れただけでも霊媒師は多大な苦痛を味わい、乱暴に扱うような場合、霊媒師が命を失う結果になりかねないのです。この点お守りくださいますよう、くれぐれもお願いします……」

私たちはマダム・シモーヌに指示されるまま、両手を机の上に置き、両隣りの人物と小指をからめ合わせた。皆が青ざめた神妙な顔をしているなか、ふと見ると、ナツメ一人は顔を真っ赤に上気させ、そわそわと落ち着きなく体を小刻みに揺すっていた。その顔には、今まさに天にも昇る最中のごとき満面の笑みが抑えきれずに浮かんでいる。おそらくナツメには、霊の存在の真意などより、隣りに座ったキャスリーン嬢と思いもかけず指をからめることになったことの方がよほど重要なのだろう。

「デハ、灯火《あかり》ヲ消シテクダサイ」

あらかじめ近くに寄せてあった燭台《しょくだい》に、エミリー、キャスリーン嬢、それに私の三人が、三方向から同時に息を吹きかけ、蠟燭《ろうそく》の炎を消した。

たちまち、鼻をつままれても分からぬほどの闇が訪れた。

「痛い！」ロバート卿の声が上がり、指がぐいと引っ張られて、離れてしまった。

「どうしたのです？」スタンフォード君が闇の中で尋ねた。

「誰かが今、わしの頭を平手で叩《たた》きおったのだ。失敬な奴め！」

「ばかな、全員手がふさがっていたのですよ」

「手ヲ離サナイデ！」マダム・シモーヌが怒ったように言った。

「叩かれたところをちょっとなでただけじゃよ」

「あなた！　すぐにマダムの言うとおりになさって！」オズボーン夫人の金切り声が響いた。

「やれやれ。打たれたところをなでるわけにもいかんのか……」

ロバート卿はため息をつき、それでも闇の中を手探りして、ふたたび指がつながれた。

「イイデスカナ……」

マダム・シモーヌはそう言うと、何ごとか私たちには分からない言葉でぶつぶつと誦《とな》え始めた。それは、すぐに言葉とは呼べぬものとなり、ただ息づかいの音がだんだん激しく、鼾《いびき》をかくような音になった。緊張のためか、つないだ指が冷たく感じられる。不意に霊媒師の激しい息づかいが途切れ、静寂が、次の瞬間、突然打ち鳴らされるタンバリンの音で破られた。闇の中、タンバリンが宙に浮かび、床に投げ出される気配が伝わってきた。

「きゃっ」とエミリーが悲鳴を上げ、からめた私の指を痛いほど強く握った。

気がつくと、手を置いたテーブルがゆらゆらと波打ち始めていた。

テーブルの上に置いてあった角笛が、ひと声高らかに鳴り響いたかと思うと、これもまたすぐに床に投げ出された。壁の大時計が時間でもないはずの時を告げて鳴り出した。

時計は不気味なまでに低い音で十度、この世ならぬ時を打った。

「……ソコニ、誰カオイデデスネ」マダム・シモーヌのしゃがれた声が尋ねた。

コツ、コツ、とテーブルを叩く音が二度、闇に響いた。

「……アメリ……アメリや」どこか頭の上の方から、くぐもった声が聞こえた。エミリーが、あっと声を上げた。

「アメリ、そこにいるのかい？」今度ははっきりとした中年の男の声であった。

「お父さん！」

「かわいいアメリや……」

「その呼び方をするのは、わたしが子供のころに死んだお父さんだけだわ。それじゃ、本当に……」

「本当だとも。お父さんはここにいるよ。お母さんは元気かい？」

「元気よ、お父さん」エミリーの声が涙にかすれた。「お父さんは？」

「元気だよ。お父さんはいつもお前たちを見守っている。幸せになるんだよ」声が小さくなった。

「待って、お父さん！　まだ話したいことが……」

「ママン！」幼い子供の声が取って代わった。

「エド？　エドワードなのね」オズボーン夫人が喜びの声を上げた。

闇の中に、くすくすと楽しそうな忍び笑いが聞こえた。

「ああ、エド。わたしの愛《いと》しい息子！　あなた、あなた……」夫人がロバート卿に言った。「あなたも何か声をかけてあげてくださいな！　わたしたちのたった一人の息子、三歳で死んでしまったあの子が来てくれたのよ」

「うむ」ロバート卿が呻《うめ》くように言った。

「ああエド、わたしのかわいいエドワード！」オズボーン夫人がもどかしげに言った。「辛《つら》くはない？　苦しくはない？　あのときはあんなに苦しんだんですもの……」

「楽しい。今はとっても楽しいよ」舌足らずの幼い声が答えた。「心配しないでねママン……」

「エドワード！」

「おお、おお……」マダム・シモーヌがふいに苦しげな声を上げた。

ぎょっとして闇に目をこらすと、彼女が座っている辺り、ちょうど口ほどの高さから、なにか白くもやもやとした煙のようなものが流れ出していた。

「裏切り者！」

「裏切り者！」

「裏切り者！」

頭上からまた、今度は年齢性別不明の不思議な、三つの声が叫ぶように落ちてきた。

沈黙の後、ややあって、ため息とともに丸みのある女の声が尋ねた。

「……その斧《おの》で殺されたのね？」

どこからも返事はなく、代わりにしゅっ、しゅっと斧を研ぐような音が聞こえた。

「おっしゃることが分かりませんわ」先ほどの女の声が相手を嘲《あざけ》るように言った。「裏切ったのは、あなた。この国の正義はただ、わたしとわたしの夫の信じる道にしかありません。裏切ったのは、あなた……」

斧を研ぐ音がやみ、続いて斧を振り回したときのような、鋭く風を切る音が聞こえた。気がつくとテーブルがまた、がたがたと震え出している。

「あなた方こそ、ご自分のなさったことを恥じるがいい！」女の声が三たび闇に響いた。「夫が先ならあとを追って、わたしが先なら夫を誘って参りましょう。正しい道、正しい国へ」

斧を研ぐ音、風を切る音が激しくなった。白いもやもやとしたものが、今ではもうテーブルの上に漂い出したのがはっきりと見える。白い靄《もや》は今にも立ち上がり、人の形を取るのではないかと思われた。

女の決然とした、それでいて相手を嘲笑《あざわら》うかのような、低い声が闇に満ちた。「これ以上は、もう何も言うことはありませんわ」女の声が言った。「主よ、わが魂をあなたの御手に……」

突然、混乱が来た。

「やめろ！　やめるんだ！」ロバート卿《きょう》が大声を上げた。黒い人影がテーブルの上に覆いかぶさるように白い靄へ手を伸ばした。

「駄目よ、さわっちゃ！」

誰かが悲鳴を上げた。

びちゃり、と床に水しぶきの飛ぶ気配がした。ごろごろと喉《のど》を鳴らすような音。続いて、くぐもった悲鳴が聞こえ、大きな音を立てて椅子が倒れた。

「誰か明かりを！」

「明かりを……電灯をつけるんだ！」

どたばたと人のぶつかる音がして、ようやく部屋の明かりがついた。

まぶしい光の中、まず目に飛び込んできたのは、テーブルの上に蛙《かえる》のように這《は》いつくばっているロバート卿の姿であった。扉のわきにキャスリーン嬢。彼女がこの混乱のなか電灯のスイッチを探し出し、明かりをつけたものらしい。あとの人物は、全員自分の席の近くで目を瞬《しばたた》いている。

「きゃあ！」オズボーン夫人が甲高い悲鳴を上げてあとずさった。「マダムが……マダム・シモーヌが……」彼女はそう言って、震える指で床を示した。

全員が、オズボーン夫人の指し示すものをのぞき込んだ。

マダム・シモーヌが床に仰向けに倒れていた。

「赤い……真っ赤だ」ナツメが呆然《ぼうぜん》とした顔で言った。

霊媒師の喉がごろごろと不気味な音を立て、唇が何ごとか呟《つぶや》いた。

私は他の者をかき分けるようにして霊媒師に近寄り、腕を取り、脈をみた。私は立ち上がり、皆を見回して言った。

「死んだ」

# 5　レストレード警部

　ほどなくして、警視庁《スコットランド・ヤード》から派遣された制服巡査の一隊がカーライル・ホテルに到着した。私は巡査を率いる人物を認めて声をかけた。

「レストレード君、きみが来てくれて助かったよ」

「おや先生、なぜあなたがここに？」

　驚いたように振り返ったのは、小柄な痩《や》せた体に地味な茶色の服を着た、一見してさえない印象の人物である。レストレード警部はしかし、こう見えてなかなかどうして精力的な、ひじょうに優秀な警察官であった。実際彼はその粘り強い捜査のおかげで幾多の事件を解決し、今や警視庁随一の評価を受けるまでになっている。レストレードは今も、眠そうに目を瞬かせながらも、その態度にはどこか獲物を狙うイタチのような抜け目のなさが見受けられた。彼はこれまでに、何度もホームズに難事件の相談をもちかけていたので、私とはお互い既知の間柄であった。

　レストレード警部は、他の降霊会参加者に控えの間で待つよう命じ、私一人を事件現場となった奥の部屋に招き入れた。明るくなった部屋には、霊の気配などまるで感じられない。ところが、部屋に入った瞬間、私はふと奇妙な違和感を覚え、辺りを見回した。誰かがじっと私を見つめているような気がしたが、そんなことはあるはずがなかった。

私はさっきまで自分が座っていた椅子に腰をおろし、レストレード君に尋ねられるまま、自分がこの場所に来ることになったいきさつ、他の参加者との会話、降霊会での霊の仕業としか思えない不思議な現象、続いて起きた霊媒師の不可解な死、などについて詳しく話して聞かせた。

レストレード警部は、時折短く質問を挟む以外は黙って耳を傾けていたが、ひと通り私の話を聞き終えると、やれやれと小さくため息をついた。

「なんとも妙なお話ですな。それじゃあ、まるで……」と言いかけて、彼はあとの言葉を途中で呑《の》み込んだ。レストレードはすぐに眉《まゆ》をひそめて尋ねた。「すると先生、あなたのお考えでは、〝霊媒師は霊との交信の結果、口から煙を吐き出し、それをロバート卿が乱暴に取り扱ったから、彼女は死んでしまったのだ〟と、そうおっしゃるのですか？」

「可能性としては、まあそういうこともありえるだろうね」私は頷《うなず》いて、さっき仕入れたばかりの知識を披露した。「霊媒師の口から現れたのは〝煙〟ではなく〝エクトプラズマ〟というらしいよ。霊の物質化現象《マニフェステーション》というのは、こういった場合むしろ一般的なことなのだそうだ」

「そりゃあそうかもしれませんが」レストレードはちょっと面食らったような顔になった。

「しかし、今回の事件には霊もエクトなんとかも関係ないんです」

「どういうことだい？」

「我々警察が問題にしているのは、霊がどうした煙がなんだといった、わけの分からないことじゃありません。私たちが知りたいのはただひとつ、誰がこの女を毒殺したかということだけですよ」

「毒殺だって！」私は驚いて声を上げた。「そんなばかなことが……」

「嘘だとお思いなら、ご自分でお確かめください」

私は、まだ部屋の床に寝かされたままの死んだ老婆に近寄り、死者の口元に鼻を寄せた。

「アーモンドの匂い……すると、これは……」

「まず、青酸カリで間違いないでしょう」

「しかし誰が？　どうやって？」

「我々もそれを知りたいのですよ」

私は改めてレストレードの質問を受けることになった。

「殺された女が何者かご存じですか？」

「彼女はマダム・シモーヌと名乗っていた。フランス人だろう。たしかフランス語を喋《しゃべ》っていた」

「とんでもない、この女は〝ローラ・イドリス〟といって、私たち同様、れっきとした英国国民ですよ。もっとも、これだって数ある偽名のうちのひとつでしょうがね」

「イギリス人？　偽名？　まさか」

「死んだ婆さんは、我々が前々から目をつけていた名うての詐欺師《さぎし》でしてね。ま、こんなことになったのも自業自得と言えなくもない。自分で蒔《ま》いた種を自分で刈り取ったというわけです。とはいえ、警察としては殺人事件をそのままにしておくわけにもいきませんからね」

「じゃあ今日の降霊会もインチキだったと言うのかい？」

「そりゃあそうですよ。新手の詐欺ですな」

「しかし会は全く無料だったのだよ。誰からも金を取っていない。いったい全体どこが詐欺なんだい？」

「そこです。まったくローラ婆さん、今回はうまいこと考えたものです」レストレードはさも感心したように小さく首を振った。「昨今流行の降霊会に無料で招待する。もちろん婆さんはヨーロッパ随一の霊媒師という触れ込みです。招待状を出ししぶったり、いやにもったいぶるのは、詐欺師がよくやる手ですよ。そうして招待したお客のなかに、これと目をつけたカモを一羽入れておくのです。降霊会が始まると、そこで婆さん、カモにだけ通じる言葉でネタを披露するんですな。〝わたしはあんたのこれこれの秘密を知っている。この情報をこれ以上広められたくなかったら、あとでゆっくりお話をしましょう〟という仕組みです」

「強請《ゆすり》か……」

「そう、犯罪自体は古くからあるやつですよ」警部は肩をすくめた。「新味としては、大勢の人の前でネタをばらす点でしょうな。強請《ゆす》られる側も、ほかの人たちが聞いている前で、まさか婆さんに乱暴を働くわけにはいきませんからね」

「すると、犯人は……？」

「それが問題でしてね」レストレード警部が思案げに眉をひそめた。「さっきあなたは確かこうおっしゃいましたよね。『霊媒は死ぬ間際に〝レディなんとか〟と口走ったようだ』と。参加者のなかに〝レディ〟の称号で呼ばれる人物は、一人しかいません」

「いや、しかしまさか……？　あのときは、相当に気が動転していたからね。多分、私の聞き間違いだろう」

とそのとき、巡査の一人が足早に歩み寄り、レストレードに何ごとか耳打ちをした。レストレードが顔を上げる間もなく隣室に続くドアが開き、ロバート卿《きょう》が大股《おおまた》に入ってきた。

「どういうことだね、きみ！」卿は顔を真っ赤にし、憤然とひげを震わせて言った。

「どうか落ち着いてください、閣下。私どもは……」

「違う！」

「はっ？」

「ロバート卿と呼びたまえ」

「はっ。では失礼して、ロバート卿。私どもは、なにも卿をお疑いいたしているわけではございません。質問は、ほんの形式的なものでして……」

「違う！」

「今度は、なんでございましょう」

「わしと妻だけを別室に案内しようとは何ごとだ」

「とおっしゃいますと？」

「いいかな、わしも妻も今回の事件の容疑者ということであれば、別室になど案内せんでもよい。ばかめ、わしが貴族だからといって特別扱いしおって。平等とリアリズム。これこそが来るべき労働者社会が掲げる理想じゃよ。ここでいい。さあ、なんなりと尋ねたまえ」

　ロバート卿はそう言って、空いていた椅子にどかりと腰をおろした。レストレードはちょっと呆気《あっけ》に取られた様子であったが、かすかに苦笑して卿に向き直った。

「では、お尋ねいたします。そもそもロバート卿が今回の降霊会に参加なさったのは、どういう理由からでしょうか」

「理由なぞあるものか。うちのやつがどうしても来たいと言いおってな。わしは仕方なくついて来ただけだ」

「降霊会の最中、卿は何か不審な物音なり、気配なりにお気づきになりませんでしたか？」

「いや、何も気づかなんだ」

「おかしいですね。あなたは、被害者のすぐ左隣りに座っていらっしゃった。すると犯人は被害者の右側から近づいたのでしょうか？」

「そんなことわしが知るものか。右隣りに座っていたキャスリーン嬢に聞いたらよかろう」

「なるほど」

「何かもっとわしに聞きたいことがあるのではないのか」

「ございます」

「なら聞くがいい」

「被害者が亡くなる直前、卿は何ごとか大声を上げられ、明かりがついたときにはテーブルの上に、なんというか、お乗りになられていたそうですね。その理由をお聞かせ願えますか」

「あれか。あれならなに、幼くして死んだ一人息子のエドワードが久しぶりに姿を現したものでな。ちょっとさわってみようと思っただけじゃよ。〝死は眠りにすぎぬ〟。ハムレットの台詞《せりふ》が本当かどうかを確かめるよい機会だったしな」

「霊には触れぬよう、固く言い渡されていたはずですが？」

「そう、いささか軽率であったかもしれん」卿は肩をすくめた。「しかし、まさかあんなことで本当に霊媒師が死ぬとは思わなかったものでな」

「彼女は卿のせいで亡くなったのではありません。その点はご安心ください」レストレードは軽く頭を下げて言った。「ところで、会が始まる前、参加者の一人が、あなたに妙な言いがかりをつけたそうですね」

「ははあ、ナツメ氏のことだな。彼はなかなか面白い人物だよ」

「そのナツメ氏によると、あなたは何か個人的な問題を抱えていらっしゃるそうですね。ジャイルズというのは何者か、私たちにお教えいただけますか」

「ジャイルズは……彼は、そう、わしのかかりつけの歯医者だ。顔をしかめていたのは、歯の治療に来るよう催促する奴からの手紙を見ていたからだ」

「その手紙を見せていただけますか」

「なんだと！」卿は飛び上がって言った。「警察は、そんな個人的なことにまで首を突っ込もうというのか」

「何ごとも事件解決のためです」

「いいだろう。今言ったことは嘘だ」

「では、本当のことを」

「貴族ともあろう者が、個人的な秘密を、こんなところで話せるものか」

「では、やはりあちらで」

レストレードに慇懃《いんぎん》にうながされ、ロバート卿は入ってきたときと同じように、顔を真っ赤に染めて立ち上がった。

「最後にひとつ。被害者が絶命した際、末期の言葉を残したそうですが、卿もそれをお聞きになられましたか？」

「ああ、あれならはっきりと聞いた。あの霊媒師は〝レディ・マクベス〟と言って死んだんだ。〝あれも、いつかは死なねばならなかったのだ。消えろ、消えろ、つかの間の灯《ともし》火《び》！　人の生涯は動き回る影にすぎぬ。あわれな役者だ〟……」

　ロバート卿がマクベスの台詞を唱えながら部屋を出て行くと、レストレードは私を振り返り、疲れたような声で尋ねた。

「卿はなぜ、わざわざ嘘を言いに来られたのでしょう？」

「ジャイルズ氏のことだね」

「いいえ。私が言ったのは〝レディ・マクベス〟の方です」

「あれが嘘だと？」

「卿の反応は、いかにも早すぎました。卿は、あの質問をされるのを待ち受けていたに違いありません」

「まさか？　ロバート卿はなんのためにそんなことを……」

　と不意に、背後に頓狂《とんきょう》な声がわき上がった。

「見たまえワトスン君！」

　声はどこか下の方から聞こえていた。慌ててテーブルの下をのぞくと、小柄な体を椅子と椅子のあいだにもぐり込ませ、床にはいつくばっているナツメの姿が見えた。

「いつからそこにいたのです？」レストレードが呆《あき》れたように尋ねた。

「いつ？　最初からさ。それより見たまえ」

　ナツメは手にした拡大鏡《レンズ》を床の一角に向け、もう一方の手で私たちをしきりに手まねいた。レストレードと私は顔を見合わせ、仕方なく椅子を下りて、ナツメの指し示すものをのぞき込んだ。

「なんだ、ただの椿の造花じゃないか」私は拍子抜けして言った。「きっと騒ぎの最中に落ちたのだろう。それがどうしたと……おやっ？」

床の上で椿の花がかすかに動いた。目の錯覚などではない。また少し……。

ナツメが手を伸ばし、床に伏せた椿を慎重に持ち上げた。私はばかばかしくなって、思わず吹き出してしまった。椿の下には、小さな甲虫がいたのだ。

「花が落ちたときにこの虫を伏せたのだね」ナツメが私に向き直って言った。

「椿の花は、花びらが一枚一枚散るのではなく、花の形のまま枝から落ちるものだから、日本では嫌う者もある。〝落首〟を連想するからだそうだが、なに、罪は椿にあるんじゃない。そんな連想を生む文化こそ野蛮というものだ」

「何者です？」レストレードが私にそっと尋ねた。

「ナツメ氏。東洋の島国、日本からの留学生だ」

「そんなことは分かっています。東洋からの留学生が、いったいなんだって降霊会に参加していたんです？」

「彼は私の患者なのだ」私は小声で言った。「話せば長くなるが、要するにナツメは、自分をシャーロック・ホームズだと思い込んでいるのだよ」

「へえ」レストレードは目を丸くした。

そのあいだもナツメは、拡大鏡を手に、忙しく床の上を這《は》いまわっている。

「それでナツメさん、なにか重大な手がかりを見つけられましたかな？」レストレードがふたたび机の下をのぞき込み、ナツメに声をかけた。

「ごくささいなことが、いくつか見つかったよ。実際ささいなことほど重大なことはないからねえ。例えば、これだ」ナツメはさっき拾った椿を私の鼻先に突きつけた。「ワトスン君、きみはこれを見て何か気づかないかね？」

「さあ、特に変わった点には気づかないねえ」私は諦《あきら》めて言った。

「じゃあ聞くがね、きみの目にこの椿は何色に見えているんだい？」

「そりゃ、赤に決まって……」

私は啞《あ》然《ぜん》として、部屋の中を見回した。花瓶に生けられてあったたくさんの白椿の花びらが、すべて赤に変わっていた。偽の霊媒師が毒殺された一連の騒ぎにまぎれて、私はそのことをすっかり見落としていたのだ。私はふと、部屋に明かりがついたあのときにナツメが漏らした言葉を思い出した。「赤い……真っ赤だ」。すると彼は、とっさに花の色の変化に気づいたのだろう。

「どうだい、ワトスン君」ナツメはひどく得意げな顔になって言った。「僕はこれから警部と少し話があるのだが——いや、きみはそこにいてくれていいよ。なにしろ伝記作者がそばにいてくれないと張り合いがないからね。それにしても霊《スピリット》とは。さっきは、おかしくって仕方がなかったよ。霊媒師が話をしているあいだ、きみたちがあんまり神妙な顔で聞いているものだからね。……ところでレストレード君、早速だが、ひとつ面白い実験をやってみようじゃないか」ナツメは忙しくそう言うと、呆気《あっけ》に取られている警部に銅貨を一枚手渡した。

「そいつを、僕に分からないように、体の後ろでどちらか片方の手に隠し持ってくれたまえ。いいかい？　じゃあ、両方の手を前に出して。コインを持った方の手に、意識を集中するんだ。だめだめ、もっと強く念じて。いいぞ！」

ナツメは飛び上がるようにレストレードの右手を指さし、手を開くよう言った。警部が右手を開くと、なるほど手の中に銅貨が握られていた。

「不思議かい？　不思議だろうね！　でも、だからといって霊が教えてくれたわけじゃないよ。教えてくれたのは警部の鼻なんだ。人間は神経を左右どちらか一方に集中すると、自分でも知らず知らず、そっちに鼻先が向くものなんだ。つまり鼻先を見れば、コインをどっちの手に握っているか分かるという寸法だ。もっとも日本人が相手だと、鼻が低いせいか、この方法ではなかなか当てることができなくて困るのだがね。マダム・シモーヌがやってみせたのも同じことだよ。あんなものは不思議でもなんでもないんだ」

「ですから私は、はじめから彼女は詐欺師だと言っているんですがね」レストレードが困ったように呟いた。

「霊との交信、予感、第六感、胸騒ぎ」ナツメは、警部を無視して、甲高い声で続けた。「そんなものはたいてい嘘っぱちだよ。例えば、誰か身近な人が死ぬ。とたんにきみは昨夜、黒猫の夢を見たことを思い出すんだ。もちろん誰も死ななかった場合は、あわれ黒猫君はそのまま忘れ去られてしまうわけだ。……落ちてきた青銅の置物から危うく命を救われたのは、なにも第六感によってじゃない。頭の上に大きな重い青銅の置物があって、それがぐらぐらしているようなら、誰だって不安を感じるだろうさ。……嫌な予感がして、いつも通る道を避けたら、たまたま強盗が出た。これだって暗い道を一人で歩くのは嫌なものだし、もしかすると自分でも気づかないうちに、風体のよくない人物が近くをうろうろしているのを見たのかもしれない。だいいち別の人が殺されたのなら、その人にはせっかくのありがたい霊のお告げはなかったということになるじゃないか」

「しかしきみ」私はナツメのはしゃぎぶりに、いささか感情を害して口を開いた。「きみがたった今やってみせたコイン当ての芸当などは、どのみち二分の一の確率じゃないか。さっきマダム・シモーヌがやってみせたのは、そんなものじゃなかったぜ。そもそも闇の中に聞こえた、あのいくつもの不気味な声はどう説明するんだ？」

「腹話術だよ、ワトスン君。日本の見世物小屋なら、どこでも普通にやっていることだ」ナツメは肩をすくめた。「いやはや、それにしても、死んだ者の霊が〝お父さんは元気だよ〟と言ったのにはまったく恐れ入ったね。あのときは、自分でもどうやって笑いをこらえられたのか、信じられないくらいだ」

「それじゃあ、机の上に置いてあったタンバリンや角笛が音を出したのは？」

「あれは霊媒師が自分の手で動かしたんだよ」

「自分の手？　彼女は、両側に座ったロバート卿《きょう》とキャスリーン嬢とに、両方の手をずっとあずけていたんだぜ」

「やれやれ、きみの言い間違いにも困ったものだね。いいかい、僕たちは霊媒師の指示どおりに、両隣りと手ではなく小指をつないでいたのだし、だいいち死んだ霊媒師はずっと指をつないでいたんじゃないよ」

「どういうことだ？」

「部屋が暗くなってすぐ、ロバート卿が手を離したろう」

「そういえば、誰かに頭を叩《たた》かれたと言っていた……」

「あれはこうやったのさ」ナツメは上着の内ポケットに忍ばせてあった棒切れを取り出し、口でくわえて、首を振って私の頭をひどく叩いた。

「闇の中で頭を叩かれたんじゃ、誰でもとっさに手を離すだろうからね」

「しかし、すぐにまた手をつないだはずだぜ」私はぶたれた箇所をなでながら言った。

「指だよ」ナツメはもう一度私の言葉を正すと、私とレストレードの手をそれぞれ引き寄せ、自分の左手の小指と親指でそれぞれの手を結んだ。「あのくらいの年寄りになると、小指も親指も、闇の中でさわっただけじゃ区別がつかないからね。それに、見たまえ、あの婆さん、嫌に親指が長いじゃないか。こうすれば、ほら、もう右手が自由に使える。弦の鳴る音や、刃物の研ぎ音といったものは、片手でそれらしい音が出る品を振り回していたんだ。ついでに言うなら、時計が鳴ったのは無論あらかじめあの時間に鳴るように合わせておいたからだね」

「しかし……それじゃあ、あれはどうなる。マダム・シモーヌは、ロバート卿が書いた、彼女が知らないはずの死者の名を炎の中に読み取ったじゃないか。きみはまさか、あれがインチキだったと言うのかい？」

「ふん、あれは少しは面白い手品だったね」ナツメはにやにやと笑いながら言った。「いいかいワトスン君。あのとき、霊媒師がどうやってロバート卿に指示したのかを思い出してごらん。

彼女はまず、五つの欄にそれぞれ一人ずつ、五人の名前を書くよう言った。ただしそのなかに一人だけ死んだ者の名前を入れるように言ったんだ。そう言われれば、たいていはまず、記入する死者の名前を誰にするか頭の中に思い浮かべるだろう。一方で、〈死者のリスト〉の先頭に、生きている知り合いの名前を記入するのは相当抵抗があるものだ。そこでいちばん上に書かれる名前は、まず死者のリストから外すことができる。問題は二番目以降だ。ところで思い出してみたまえ、ロバート卿が次の名前をまさに書こうとしたとき、霊媒師は『ワタシガ知ラナイ人ニシテクダサイ』と口を挟んだ。不意をつかれた卿は、その人物を霊媒師が知っているかどうか考えるために、ちょっと間をおいた……。もし卿が死んだ人物の名前を書こうとしていたのなら、はじめから霊媒師には知りようのない人物を思い浮かべていただろうから、間をおく必要はなかった。それに、きみも覚えているはずだ、霊媒師はその後も卿が名前を書こうとする瞬間を見計らって、しつこいほど念を押していたことを。彼女はああして、卿の反応を確かめていたんだ」

「では、軽い紙玉がテーブルに落ちたときに大きな音を立てたのは？　それに……そうだ！　死者の名前が書かれた紙玉を燃やしたとき、名前が輝き出たのはどう説明するんだ？　僕自身、炎の中に死者の名前を見たのだよ」

「音がしたのは、紙玉がテーブルに当たったからじゃない。こうしたのさ」

ナツメはそう言ってテーブルの裏側を指で強く弾《はじ》いた。ごつん、と思いがけないほど、大きな音が響いた。

「だいいちワトスン君、きみが炎の中に死者の名前を読んだなんてことはありえない。なぜなら、そもそもあのとき燃やした紙玉には、別の、生きている人の名前が書いてあったのだからね」

ナツメはそう言って、ポケットから小さく丸められた四つの紙玉をテーブルの上に取り出した。

「床に落ちていたのを、さっき拾ったんだ」

私はクシャクシャに丸められた紙玉を順番に開いた。そのひとつに、ロバート卿が記した死者〝ビリイ・ワトキンズ〟の名前が見えた。

「霊媒師はどの紙玉を燃やしてもよかったのさ」ナツメがなんでもないように言った。「彼女は適当なところで音を立て、その紙玉を燃やしただけだよ」

「それじゃ、なぜ名前が分かったんだ？」

「おやおや、きみは今まで何を聞いていたんだい」ナツメは呆《あき》れたように言った。「ロバート卿は何も隠して名前を書いていたわけじゃないんだ。霊媒師は彼が書くところを見ていた。つまり彼女は、その時点で死者の名前を特定できたんだ。紙玉にさせたのも、テーブルが音を立てたのも、もちろん紙玉を燃やしてみせたのも、本来は全然不要な、単なるつけ足しだった。あんなものは、観客の目をごまかすための演出だよ」

「なるほど。思い込みというやつは、ばかにはできないものだな」と呟《つぶや》いたレストレードは、ナツメに向き直って尋ねた。「するとナツメさん、あなたにはもうこの事件の犯人が誰だか分かっているんでしょうね？」

「犯人？」ナツメはちょっと虚をつかれたように、目を白黒させた。「犯人は……そう……背が高く……多分六フィート以上の壮年で……左利き……先の角張った靴をはき……赤ら顔で……インド産のトリチノポリ葉巻を吸っている……」

ナツメはそう言いながら、ずるずると椅子の間にもぐり込んでしまった。机の下を見ると、ナツメは私たちに背を向け、拡大鏡で床の一角を子細らしくのぞき込んでいた。

私はレストレードと顔を見合わせて苦笑した。

「それにしても」私は警部に尋ねた。「〝思い込みもばかにはできない〟とはどういうことだい？　まさか、ナツメの推理が正しいなんて言うんじゃないだろうね」

「ところが、ドクター、ローラ婆さんが使っていたインチキ降霊会の手口は、まさにナツメ氏が言ったとおりなのですよ」とレストレードは、唖然《あぜん》としている私に、物憂げな様子で警察の調査結果を教えてくれた。

「例えば、先ほどのエクトなんとかいう煙状のもの――お話では〝霊が物質化〟したものだそうですが、そいつは多分本物の煙です。被害者の所持品のなかに煙を発生させる装置、それから部屋の隅には電気ライトが隠してあるのを見つけました。試しにスイッチを入れてみると、ちょうど被害者が座っていたテーブルの上に、細く絞った光が当たるようになっていましたよ。

どうやら人間というやつは、自分が見たいものを、見たいように見るようでしてね。闇の中で、もやもやとした煙に光が当たると、降霊会に参加した人間の十人中九人までが、それが人の形に見えたと証言するのですから、こっちは驚きますよ。なんでもローラ婆さん、会を始める前に『中世の、電気の働きを知らない人間に今日《こんにち》の火を使わない灯りの話をしたところでけっして信じないでしょう』とそんなことを自分で言ったんですって？　なんとも人をくった話ですな。

また、お話にあった〝不思議な声がどこか頭の上の方から聞こえてきた〟というのは、腹話術もそうですが、もっと簡単な別の方法もあるのです。つまりローラ婆さんは、あらかじめ用意してあった長い管を口にくわえて、そこから喋《しゃべ》っていたんですよ。参加者の頭の上に覆いかぶさるように飾られたたくさんの造花は、むしろ管を隠しておくためのものだったのです。管の反対側のラッパのように開いた口が造花のあいだに隠してあるのを、さっき見つけました。

花の色がいつの間にか変わっている、というのも婆さんがよく使う手のひとつでしてね。

暗い中で降霊会が終わって、明かりがつくと花の色が変わっている。参加者はそこでまた驚くわけです。実際にはタネというほどのものもありません、ただ暗いあいだに花瓶に赤インキを垂らしておけば、茎の部分が赤い水を吸い上げて、花の色が変わる仕掛けがしてあるだけです。

そうそう、さっきナツメ氏が謎解きをしてみせた死者のリスト。ローラ婆さんはあれで、これまでに何度かは、間違って生きた人の名前を読み上げてしまったことがあるそうです。そんなときも婆さんは少しも慌てず『死がその人に近づいている。霊が警告しているのだ』と言って、参加者をいっそう信じさせてしまったというから驚くじゃないですか。

ローラ婆さんは、このほかにも手を替え品を替え、我々が調べた限りでも、少なくとも二十通りは〝霊を呼び寄せる〟方法を知っていたようですな。つまり、足の親指の関節を使って音を立てる古典的な方法はもちろんのこと、時には油虫の背中に紙切れを貼りつけて動かしてみせたり、となかなかユニークなものがあって笑えますよ。もっとも、そんな手の込んだことをしなくても、ある夫人は暗闇でビスケットを割っただけで気絶したそうですがね。ま、どれもこれも単純な、昔からよくある手です。こんなものに、英国の良識ある紳士淑女が手もなくひっかかるんですから、私ども警察としても頭が痛い。まったく、世の中に〝迷信は信じないが、悪魔は信じる〟という連中がいかに多いか、統計をとったら呆れるほどですよ。

今回の犯罪は――あのローラ婆さんが手の込んだ自殺をしたとは考えられませんから、

まず毒殺と断定していいでしょう――インチキ降霊会の仕組みを逆手《さかて》にとった巧妙な代物です。犯人はおそらく、ローラ婆さんがくわえる管のひとつにあらかじめ青酸カリを塗っていたのでしょう。

では、誰が、なんのためにそんなことをしたのか？　ドクター、あなたは会に実際に参加しておられたわけですが、何か思い当たる点はありませんか？」

「思い当たるも何も、何もかもがあんまり思いがけなくて、私はすっかり混乱してしまったよ」

警部は残念そうに首を振り、あとは独り言のように呟いた。「それにしても、ローラ婆さんのインチキ手口を見破ったのが、妙な妄想に取り憑《つ》かれた東洋人とはね。この分じゃほかの連中がどんな秘密を隠しているか知れたもんじゃないな」

レストレードは顔を上げ、扉のわきに立っていた若い巡査に声をかけた。

「エミリー・ホワイト嬢に来て貰《もら》いたまえ。次は彼女から話を聞くとしよう」

見れば、ナツメはまだ拡大鏡を手に、床の上を這《は》いまわっている。私はナツメの腕を取って立ち上がらせ、彼を促して部屋を出ていこうとした。そこへ、さきほどの巡査が妙な顔で戻ってきた。

「ミス・ホワイトはいません」

「いない？　どういうことだ」レストレードが尋ねた。

「彼女は〝化粧を直したいから〟と言って控え室を出ていきまして……」

「だったら少し待つさ。そのうちに戻ってくるだろう」

「それが、その……」若い巡査は困惑したように口ごもった。「彼女が部屋を出たのは、三十分以上も前の話なのです」

「なんだって！　ばかな、それじゃあ……」

青い顔をした巡査は、気味悪そうに部屋の中を見回して言った。

「ホテルの人間にも頼んでくまなく探してみたのですが、彼女はどこにもいません。ミス・ホワイトは、このホテルから煙のように消えてしまったのです」

# 6　火曜日の男

翌朝の十時には、ナツメはベーカー街二二一Bのひじ掛け椅子にもうちゃんと収まっていた。

前日の警察の取り調べは、エミリー・ホワイト嬢失踪《しっそう》という予期せぬ事態によって中断をよぎなくされた。私はレストレードがあれほど怒ったのを見たことがない。警部の激しい叱責《しっせき》に震え上がった巡査たちは、たちまちクモの子を散らすようにホテル中に散らばり、コマネズミのように今一度辺りをくまなく——食器棚の裏から、カーペットの下に至るまで——一寸刻みに調べて回った。だがなんとしたことか、エミリー嬢は依然として発見されず、皆が首を傾げていたところ、意外な事実が判明した。

なるほど、エミリー嬢がホテルから出ていくところを見た者は誰一人いなかった。だが、その代わり正体不明の老婆が一名、ホテルの正面玄関から堂々と出ていくのを多くの人間が目撃していたのだ。そのとき、玄関に立っていた巡査は、その老婆がホテルの泊まり客の一人だと信じて出ていくのを止めなかったばかりか、ご丁寧にドアを開けてやってさえいたのだ。

レストレードは怒るのを通り越し、呆《あき》れた様子でその巡査に「なぜ命令を守らなかったのか」と尋ねた。

「しかし警部殿」巡査はきょとんとした顔で答えた。「警部殿は、取り調べがすむまで事件関係者をホテルから出すなとはおっしゃいましたが、ホテルの泊まり客を出入りさせるなとは一言もお命じになっていません。私も最初に事件関係者の顔を見ましたが、事件関係者にあんなお婆さんはいませんでした。……ええ、出ていったのは、どう見てもごく品のよい、黒っぽい服を着た、真っ白な髪の、小柄な、腰の深く曲がったお婆さんでした」

念のためホテルにも確認させたが、該当する泊まり客は存在せず、となればやはり出ていった老婆こそが変装したエミリー嬢と考えるしかない。レストレードは一方で、急いでシティに人を走らせた。案の定、彼女がタイピストとして勤めていると言ったシティの会社は実在せず、そもそもエミリー・ホワイトという名前自体、偽名である可能性が高かった。

ここにおいて、彼女がいかなる理由でこのたびの降霊会に参加していたのか、いな、彼女はいったい何者であるか、それすら確認する糸はすべて断ち切られてしまったのである。

以上のことが判明した時点で、その日はもうすっかり遅い時間になっていた。レストレードは、事件関係者の宿泊先を確認した後、全員を引き取らせた。その際我々は「皆さんには後日改めて事情をお伺いします」とは言われたものの、警察が、現場から逃亡したエミリー嬢こそ怪しいと考えているのは、誰の目にも明らかであった。

ホームズ用のひじ掛け椅子に深く腰をおろしたナツメは、ひどく満足そうな顔で言った。

「ワトスン君、今回の事件をどう考えるかね？」

「奇妙な事件だねえ」私はひそかに苦笑しつつ、ナツメに調子を合わせて言った。「しかしまあ、レストレード警部が本腰を入れて取り組んでいるようだから、そのうちはっきりするだろう」

「ふん、レストレードなど！」ナツメは低い鼻先で器用に笑った。「なるほど彼は、無能な警官のなかじゃ、抜け目がなくて精力家の方さ。だが、しょせんは考え方が型にはまっているし、おまけに想像力に欠けているものだから、毎度事件が手に負えなくなるんだ。今回の事件にも、いささか初歩的ではあるが、一、二の注目すべき特異な点がある。この事件がレストレードの手に負えるものか。今にきっと泣きついてくるよ」

「そうかな？」

「そうとも。だからそれまでに、こっちで事件を整理しておこうじゃないか。まずきみの考えを聞かせてくれたまえ」

「僕の考えを言えば、やはりエミリー嬢が――偽名らしいが一応この名前で呼ぶことにすると――いちばん怪しいと思う。彼女がローラ婆さんを殺し、捕まるのを恐れて逃げたんじゃないかな」

「殺した理由はなんだい？」

「さあ、理由は分からないな。おそらく本人に聞くしかないだろうね」

て言った。

「いいかいワトスン君」とナツメは、彼には大きすぎる椅子から、身を乗り出すようにし

「なるほど、エミリー嬢がなぜわざわざ服を着替え、変装してまで、あのホテルから失踪せねばならなかったのか？　これは大きな謎だ。だが、それを言うなら、昨日の降霊会ではもっと不思議なことがあったんだぜ」

「不思議なこと？　しかしそれなら、昨日のうちにきみとレストレードが寄ってたかって謎解きをしてくれたじゃないか」

「じゃあ聞くがね。オズボーン卿《きょう》夫妻は、初対面の僕の目にさえ、ずいぶん仲が悪いように見えたぜ。レディ・リリー・オズボーンはロバート卿に一度も近寄ることなく、離れた場所で取り澄ましていた。それなのに、なぜ彼らは二人で仲良くあの降霊会に参加しなくちゃならなかったんだ？　僕は昨日帰ってから、気になって調べてみたのだが、案の定二、三日前の新聞にレディ・リリー・オズボーンが教会に多額の寄付をしたという記事が出ていた。それによると、彼女は一人息子を亡くして以来、すっかり慈善事業にのめり込み、実際今も〝慈善《チャリティー》小母《おば》さん〟と噂されるほど慈善好きなのだそうだ。その彼女が、今回に限ってなぜ降霊会なんかに出席することにしたのだろう？

それから、暗闇の中でのロバート卿の狼狽《ろうばい》ぶりはどうだい。彼はなぜ降霊会を中断させようとしたのか？　覚えているかい、彼はあの太鼓腹で、テーブルの上に這い上がりさえしたんだ。おかしなことはまだある。被害者が死ぬ間際に口にした言葉。彼女は確かに

〝レディなんとか〟と言ったんだ。あれは何を意味しているんだろう？　ロバート卿はなぜ、被害者が〝レディ・マクベス〟と言い残したと嘘を言ったのか？　それに、僕が昨日指摘したジャイルズというのは何者なのか？　ロバート卿はあの男からの手紙をひどく気にしていた。かかりつけの歯医者というのは嘘だと、卿は自分で言ったんだぜ」

「待てよ、ナツ……いや、ホームズ」私は呆れて言った。「きみはまるでロバート卿、もしくはレディ・リリー・オズボーンのどちらかが怪しいと疑っているみたいじゃないか」

「あるいは、そうかもしれない」

「だが、きみも見ただろう、ロバート卿はあのとおり、社会主義と芝居好きの、そりゃいささか変わってはいるが、すこぶるつきの好人物だぜ」

「〝人はほほ笑み、ほほ笑み、しかも悪党たりうる〟と言ったのは、ロバート卿が好んで引用するハムレットのはずだがね。だいいち、考えてもみたまえワトスン君。レストレードが言ったように、昨日の降霊会は、実際には巧妙に仕組まれた強請《ゆすり》の場だったんだ。もし参加者のなかで強請《ゆす》るに足る人物があるとすれば、オズボーン卿夫妻をおいてほかにないじゃないか。僕はむしろ、ここに犯罪の動機があるように思うのだがねえ」

　ナツメはそう言ってにやにやと笑っている。私は彼の言うことに存外筋が通っていることに驚いた。とほうもない話ではあるが、一面では理屈と言えなくもない。いや、もしかすると妄想に取り憑《つ》かれた者の論理は、時として常人には思いも及ばない隠れた真理を射《い》貫《ぬ》くものだ。私は、ナツメの言ったことをもう一度はじめから真面目に考えてみることにした。と、ナツメが不意に尋ねた。

「ところで、ワトスン君。きみはこれから出かけるのだろうね?」

「いや。今日は一日部屋でディケンズでも読もうかと思っていたのだが……」

「そんなことは言わずに、是非出かけたまえ。なに、僕のことなら気にしなくていい。きみの手を借りるのは、いよいよ仕事にかかってからさ。ブラッドリーの店の前を通ったら、いちばん強いシャグタバコを一ポンド届けさせてくれないか。それから、下でハドスンさんに言って、コーヒーをポットに一杯。頼むよ。できたら午後まで帰ってこないよう都合してくれるとありがたい。午後には、今回の事件に関して二人の感想を比較してみるのもきっと面白いと思うよ」

ナツメはそう言うと、さっさと――どこに用意してあったのか――紫のガウンにネルのスリッパという格好になった。彼は膝《ひざ》がしらが低い鼻先になんとかさわるまでに短い足を苦労して引き上げ、ひじ掛け椅子の中にトグロを巻いた。そして、黒い陶製のパイプをあたかも怪鳥の嘴《くちばし》のような格好に口から突き出し、じっと両目を閉じた。

私は自分が世に著したホームズがかくも無様《ぶざま》に真似されることに呆れ、また内心ひどく憤慨した。だが、なんといっても相手は頭のおかしな東洋人であり、しかも彼が私の患者とあってはどうしようもない。私はナツメを残し、部屋を出た。コーヒーとタバコをちゃんと手配してやったのは、我ながら親切というべきであろう。

通りに出た私は、少し考えてクレイグ博士を訪れることにした。

ウィリアム・ジェイムズ・クレイグ博士。ナツメが通っていた個人教授の先生である。

昨夜カーライル・ホテルから帰ったあと、私は博士について人物事典で調べてみた。事典の記載によれば〝一八四三年生まれのアイルランド人……在野のシェイクスピア学者にして……一八九九年から順次発行されている詳細な注釈つきの全集『アーデン・シェイクスピア』監修者の一人〟ということだ。

私は、おぼろげながら、博士の噂を聞いたことがあるのを思い出した。なんでも、毎日大英博物館の読書室に通う暇をつくるためにウェールズのさる大学の椅子を惜し気もなくなげうち、今は終日シェイクスピア事典の作成に取り組んでいるという話であった。

それにしても、考えてみれば、なんという奇妙な巡り合わせであろう。ナツメは、はるばる東洋の島国からロンドンを訪れ、クレイグ博士に個人的に師事していた。そのナツメが妄想に取り憑かれたとき、驚いた下宿屋の女主人リール姉妹は博士に相談をもちかけ、クレイグ博士はクラブの友人であるマイクロフト氏を通じてホームズに依頼した。そして、ホームズが留守のあいだ、私がナツメの面倒をみるはめになったのだ。ところが、ナツメを預かって早々、私たちは不可解な殺人事件に巻き込まれてしまった。ホームズが帰ってくる前に、私はなんとしてももう少し詳しい事情を把握しておく必要がある。そのためには、クレイグ博士に尋ねるのがいちばんの早道であると思われた。

人物事典に記載されていた住所グロスター街五五Aは、幸いベーカー街からはほど遠からぬ場所である。私は早速、目的の場所に向かって歩き出した。

クレイグ博士の住まいは、裏通りに面した、お世辞にも上等とは言いかねる、建物の四階のさらに上につくられた屋根裏部屋であった。狭い階段を上っていくと、股《もも》が少し痛くなる時分に、ようやく目指す扉の前に出た。真鍮《しんちゅう》のノッカーを戸板に当てると、五十歳くらいの、顔色の悪い痩《や》せた女性が細くドアを開けた。博士の秘書らしい。名刺を渡し、博士に面会したい旨を告げると、彼女は黙ってドアを開け、中に入るよう身振りで促した。

ドアを入るとそこはもう客間であった。客間といっても、装飾も何もない、ただひじょうにたくさんの書物があちこちに並んでいるだけの部屋である。私が名乗ると、博士はちょっと変な顔をしたが、椅子に座ったまま「やあ」といって毛だらけの手を出した。

クレイグ博士は、ホームズ流に言えば、なかなか興味深い特徴の持ち主であった。まずその顔が尋常ではない。鼻がむやみに高いばかりか、段があって、肉が厚すぎる。普通こんな鼻の持ち主は、向き合った相手になにか嫌な印象を与えがちなものだが、博士に限ってはそれがいかにもバランスを欠いたユーモラスな感じがする。耳も分厚く、灰色の目が腫《は》れぼったいまぶたのあいだからわずかにのぞいていた。また顔のあらゆる部分に細かい毛が無頓着《むとんちゃく》に生え、ひげにいたっては見ている方が気の毒になるほど黒白乱生している。その顔つきには一種の野趣というべき雰囲気があった。年齢などはすでに超越しているようにも見えるが、たしか今年で五十九歳になるはずだ。縞《しま》のガウンを着て、足にはすっかり毛羽立ってむくむくとしたスリッパを突っかけている。もし外の通りで会ったら、鞭《むち》を忘れた御者だと思ったに違いない。

博士は私に向かいの椅子を指し、その上に積んである書物を床に下ろして座るよう言った。

「アイルランド出身の娘が疑われているようじゃな？」

私が座るのを待ち兼ねたように、博士は手にした新聞をばさばさと振って尋ねた。私はうかつにもまだ読んでいなかったのだが、一部の新聞はすでに〝詐欺仲間を毒殺か？〟という見出しで、エミリー・ホワイト嬢が現場から姿を消したこと、彼女がアイルランド人であることなどを書き立てていたのである。クレイグ博士は乱暴に新聞を広げ、記事を声に出して拾い読んだ。

「〝……アイルランド人の名うての女詐欺師イライザ・スミスは……これまでにもいくつもの偽名を使い分け……変装に極めて巧み……十代の小娘から、七十過ぎの老婆にまで化ける……警察は現在、総力をあげてこのアイルランド女性の行方を追っている〟。……ふん、アイルランド人というだけで、すっかり犯人扱いしおって」

「彼女は現場から黙って姿を消したのですからね。疑われても仕方ありません」私は肩をすくめた。「それに、彼女を除く参加者全員に身体検査が行われましたが、手がかりになりそうなものは何ひとつ発見されませんでした」

「なに、その場に残っていたらいたで、彼女が犯人にされていただろうよ。アイルランド人のカトリック教徒だという証拠が見つかった、それだけの理由でな」ふたたび新聞記事に目を落とした博士は、ふと気づいたように呟《つぶや》いた。「なんだ、ロバート卿もその場に居合わせたのか」

「ロバート卿《きょう》とお知り合いなのですか？」

「知り合いというほどでもない。このあいだクラブの外来室で話をしただけだ。わしは話なんぞしたくなかったんだが、向こうから話しかけてきたのをむげに無視するわけにもいかなかったのでな」

「例のディオゲネス・クラブですね。で、そのとき卿はどんな話をされていました？」

「どんな話だと！」博士はうんざりしたように声を上げた。「さんざんシェイクスピアも書かなかった新しい演劇を書いたの書かないのと言っておったよ。〝イギリスの史劇をリアリズム精神に則《のっと》って劇化した〟のだとな。外化《がいか》された魂？　さあ、なんでもそんな話だったよ。そういえば何か倫敦塔に関係があるようなことも言っていた……。なに、三百年この方、何百何千人もの芝居好きがそんなことを言ってきたのさ。意味のない戯言《たわごと》だよ。もっともあんな人たちがいて、金を出してくれるからこそ、文化というものはなんとかやってこられたのも事実だがな。ところで、きみは詩を書くかね？」

「いえ、私は……」

「そうだろう。きみたちイギリス人はむやみと忙しくしているが、詩を解する人間は百人に一人もいないのだからな。ワーズワース、ホイットマン、シェリー。彼らの残した美しいものを味わえないとは、かわいそうなものさ。そこへいくと日本人はえらいものだ。見たまえ、この記事に出ているナツメという日本からの留学生。わしは、偶然彼を知っておる。個人教授を頼まれていたんだ。彼は、なぜだか知らんが、決まって火曜日にやってきた。うちの秘書なぞは、ひそかに彼のことを〝火曜日の男〟と呼んでいたくらいだ。わしはナツメに英国の詩歌を講じつつ、一方で彼とおおいに詩論を談ずることができた。彼は詩を味わい、かつまた自ら作ることのできる男だ。わしらアイルランド人と同じようにな」

「じつはそのナツメ氏のことで、お伺いしたいことがあってまいりました」

「なんだ、きみもナツメを知っておるのか？」

「知っているも何も」私は呆《あき》れて言った。「妄想に憑かれたナツメを私のところに連れていくようリール姉妹に指示したのは、そもそもクレイグ博士、あなたではありませんか」

「きみのところ？」

「ベーカー街二二一Bです」

「そうだった。うっかり忘れていたよ」クレイグ博士は膝を打って言った。

「ついでに、ナツメがなぜあんなふうになったのか、その経緯も思い出してくれるとありがたいのですがね」私はもはや皮肉でなく言った。「リール姉妹は、最初にあなたが下宿の部屋に引きこもったナツメを訪れて何ごとか話し込み、そのあと彼は自分がシャーロック・ホームズだと思い込んだようだと言っていました。彼に、いったい何を話したのです？」

「わしはナツメに通俗小説を読むよう勧めただけだよ」

「通俗小説？」

「うむ。彼は、英語で書かれた膨大な量の、伝統的な文学に押しつぶされそうになっていた。それはそうだろう、イギリス人が何百年もかけて書き溜《た》めてきた文学を、彼は東洋の島国からやってきて、わずか一、二年のあいだに自分のものにしようとしていたんだ。気が変になるのも無理はないさ。だからわしは、昨今の雑誌に載っているような、気楽な読み物を読むよう勧めたんだ。〝これもまた英語で書かれた文学の一種なのだ〟と言ってな。もちろん、ナツメの心を軽くしてやろうと考えてのことだ。ところがナツメは、ばか正直にも、通俗小説を徹底的に読み込み、あげくのはてにこんなものまで作って部屋に貼っていたんだ」

クレイグ博士はそう言うと、散らかった机の上から一枚の紙を取り上げた。

「シャーロック・ホームズの特異点」

一、文学の知識——皆無。

二、哲学の知識——皆無。

三、天文学の知識——皆無。

四、政治上の知識——微量。

五、植物学の知識——不定。ベラドンナ、阿片《アヘン》、その他一般の毒物には通暁。

六、地質学の知識——実際的知識のみ。一見して各種の土壌を識別。

七、化学の知識――深遠。
八、解剖学の知識――精確なれども組織的ならず。
九、通俗文学の知識――該博なり。前世紀に行われた恐るべき犯罪はすべて知悉《ちしつ》。
十、バイオリンを巧みに奏す。
十一、棒術、拳闘《けんとう》および剣術の達人。
十二、イギリスの法律の実践的知識深し。

それは、私がホームズの活躍を世に公表した最初の記録（註『緋色《ひいろ》の研究』）からの抜粋であった。

「ナツメは、これこそが実践すべき文学だと思い込んでしまったらしくてな。彼が最初に取り組んだのが、バイオリンだった。ナツメはわしのところにも来て、さんざん聞かせてくれたんだが……」と博士の顔に初めて困ったような表情が浮かんだ。「ありゃ、サカリのついた猫の鳴き声よりまだ悪い。おかげでわしは、彼が来た日は、毎晩悪夢にうなされることになったよ。その後の、むやみと嫌な臭いのする化学の実験は、幸い自分の下宿でやってくれたからよかったようなものの、さもなければ、この建物の住人は寄ってたかって、わしをこの住み慣れた部屋から追い出していたに違いないさ」

「だから、彼を私のところによこしたのですか？」

「ほかにどんな手がある。いやさ、こうなったらいっそ、ナツメにシャーロック・ホームズとやらになってもらったらどうかな」

私はすっかり呆れてしまった。クレイグ博士は私の予想をはるかに上回る変人であった。いや、もしかすると、妄想に取り憑《つ》かれているのはナツメではなく、博士の方なのではあるまいか？

「きみは、死体を隠すために戦争を始めた将軍の話を知っているかね？」とクレイグ博士は、案の定、また妙なことを言い出した。「ある将軍が、私怨《しえん》から一人の若者を殺した。むろん、将軍といえども、殺人を犯せば重大な罪に問われることは避けられない。そこで将軍は、自らの殺人を隠蔽《いんぺい》するための、極めて巧妙な方法を思いついた。彼は翌日、旗下の一連隊に無謀な突撃作戦を命じたのだ。作戦は当然のごとく失敗に終わり、戦場には味方の兵士の死体の山が築かれた。将軍は、そのなかに自分が殺した男の死体を紛れ込ませた。彼は作戦に失敗したとして将軍職を解かれた。だが、ついに殺人の罪に問われることはなかったのだ」

「論理の遊びとしてはなかなか面白いですね」私は困惑して言った。「何かの寓話《ぐうわ》ですか？」

「論理の遊び？　寓話だと？　ばかな！　わしは、このあいだまでイギリスが南アフリカでやっていたことを話しただけじゃよ」

「お言葉を返すようですが、それならばすこし事実とは違うようですね」

「ほう、どう違うんじゃな？」博士は膝《ひざ》を乗り出すようにして尋ねた。

私ははじめクレイグ博士が何かの冗談を言っているのかと思った。だが、意外にも博士はひどく真剣な様子である。私はふと、あるいは博士は本当にあの戦争について何も知らないのではないかと思った。常人では考えられないことも、大学の職を平気でなげうち、屋根裏部屋と大英博物館とを往復するだけの、この変人のシェイクスピア学者に限っては、ありえない話ではない。それどころか、もしかすると博士は、昨年ビクトリア女王が亡くなったことさえ知らないのではあるまいか……？

「さあ」と博士はもう一度私を促した。

「イギリスが南アフリカで行った今回の戦争には、いくつかの正当な理由がありました」私は仕方なく口を開いた。「ひとつには、先に南アフリカに移住したオランダ系のブーア人たちが、あとから入ってきたイギリス人植民者に対して不当な課税を行い、かつまた選挙権を制限するなど、政治的に不平等な取り扱いをしたからです。ブーア人はまた、現地の黒人労働者を長期にわたって酷使、虐待してきた。先住民たちは、奴隷制度廃止を表明するイギリスにむしろ保護を求めていたのです。

　そして一八九九年十月、ブーア人は——イギリス人植民者が次第に南アフリカにおける発言力を強めていることに危機感を抱いたのでしょう——ついに武力をもってイギリス人に南アフリカから出ていくよう迫ってきました。イギリス本国としても、こうなればまさか見すごすわけにもいかず、ブーア人との戦争に踏みきるしかなかったわけです。

　戦況は当初、わが方に極めて不利でした。大英帝国は多くの犠牲を払い、今年五月になって、ようやく戦争に勝利することができたのです。

大英帝国が南アフリカで行ったあの戦争は、いわば自由と民主主義を守る、正義の戦争でした。一部の反政府勢力が唱えているような不当なものではありません。ましてあなたがさっきおっしゃったような、一将軍の犯罪を隠蔽するための戦争などではけっしてないのです」

「その大英帝国《ブリティッシュ・エンパイアー》というのには、もしかしてわがアイルランドも入っているのかね？」

「ええ……？　もちろんです。アイルランドは大英帝国の一部ですよ」

「は、は、は！」博士は急に声を上げて笑った。「お前さんの話はなかなか面白かったよ。論理の遊び、もしくは何かの寓話としてはな」

「私がお話ししたのは、論理の遊びでも、寓話でもありません。事実ですよ」

「ふん、正義の戦争だと」博士は皮肉な口調で呟《つぶや》くように言った。「そんなものがどこにあるのだね？　考えてもみたまえ、事態がそれほどこじれるまで、現地のイギリス人植民者は、あるいは本国大英帝国の政治家たちは、いったい何をしていた？　そもそも戦争なり暴力なりを招かないようにするのが、政治なり政治家本来の仕事ではないか？　戦争は、つねに政治の失敗の結果だよ。政治家はつねに、自分たちの仕事の失敗を隠蔽するために戦争を始めるのだ。だとしたら、殺人を隠蔽しようとした将軍の話と、いったい何が違うのだ？　それにしても、あんたが本当にあの戦争を擁護していたとはな。見損なったよ、ドクトル。いや〝サー〟とお呼びすべきかな？　わしには勲章なんぞ欲しがるやつの気がしれんが、勲章が欲しけりゃもっと別のやり方があるだろう」

クレイグ博士はそう言うと、そっぽを向き、毛むくじゃらの手をひらひらと振って、私に退出を求めた。

「行きたまえ。ナツメを頼んだよ。だが、握手はせんからな」

私は半ば呆気《あっけ》に取られたまま、博士の住居をあとにした。気の毒そうな顔をした秘書の女性が無言で開けてくれたドアを抜け、狭い階段を下りて、通りに出てから、私はようやくクレイグ博士の勘違いに気がついた。

おそらく博士は、あの噂を聞いたのだろう。ごく最近——といっても、この年の六月のことであったが——シャーロック・ホームズに士爵《ナイト》への叙勲の話がもち上がった。これまで幾度となく、大英帝国のみならずヨーロッパの王室・国家の危機が、ホームズの獅子奮迅《ししふんじん》の働きによって未然に防がれてきたのだ。私には、彼の功績に対して当然すぎる、どころか控え目というべき結果だと思われた。ところがホームズは、せっかくの士爵の称号をいささかの惜しげも見せず辞退した。彼にとっては事件の解明そのものが興味の対象であり、士爵など少しの興味ももてないというのである。……いや、そのことはどうでもよい。彼の親友でありかつ協力者の立場にある私としてはむしろ、何ごとによらず、不謹慎にわたる言辞は努めて避けるべきであろう。

問題は噂である。

噂というものは、昔から、事実とはひどくかけ離れた、とんでもない風聞を伝えると相場が決まっている。ことに叙勲などという名誉がかかわると、とたんにあの〝緑色の目をした怪物〃（註　嫉妬《しっと》のこと。『オセロー』中に見られる表現）によって、どんな噂が広まらないとも限らない。私自身「シャーロック・ホームズ氏はこのたびの戦争で多くの敵を殺した功により叙勲を受けることになった」だの、なかには士爵に列せられるのは、ホームズではなく、この私であるといった、とほうもない噂を耳にしたことがある。クレイグ博士もどこかで「ホームズが士爵に列せられて躍り上がって喜んでいる」とでもいった、根も葉もない、ばかげた噂を聞いたのだろう。

私は博士の誤解を正そうかと考え、敷石に立って背後を振り返った。だが、四階の屋根裏にある博士の住居は、通りからは窓さえ見えない。私はなんだか、クレイグ博士が高所に巣を作って懸命に雛《ひな》を守っているツバメのように思えた。これ以上は研究の邪魔をするまでもあるまいと思った。

# 7　最初の捜査

帰ってきて、部屋のドアを開けたとたん、さては火事かと思った。テーブルの上に置いたランプがかすむほど、室内にはもうもうと煙が立ち込めていたのだ。私はしかし、すぐにそれが、むせて咳《せ》き入るほどの安タバコの刺激的な煙だと気がついた。おそらくナツメは、私がブラッドリーの店から届けさせたタバコに片っ端から火をつけて吸っていたのだろう。案の定、煙を透かして、床の上にタバコを巻いていた紙が散乱しているのが見える。ところが、肝心のナツメの姿が見えなかった。私は口元をハンカチで覆って部屋に入り、窓を開け、振り返って、そのとき初めてひじ掛け椅子のわきにナツメが倒れているのに気がついた。私は慌ててナツメに駆け寄り、彼を抱き起こした。

「おいきみ、しっかりしたまえ！　きみ！」

ナツメはウーンと唸《うな》って、薄く目を開けた。

「ワトスン君、やられたよ。……襲われた……僕はずっとつけられていたんだ」

「襲われた？　つけられていただって！」

「そうとも。きみが心配すると思ってこれまで言わないできたのだが、僕は前々からちゃんと気づいていたんだ。このあいだもこんなことがあった。僕は通りを歩いていてあわれな物乞《ものご》いに一ペニー銅貨をやった。ところが、下宿に帰ると同じ銅貨が便所の窓枠にちゃんとのっているじゃないか。これが何よりの証拠だよ。僕の行動は細大漏らさず見られているのだ。きみは気づかなかったかい？　向かいのホテルの窓から、いつもこっちをのぞいている男の目があることを。あれは探偵だよ。僕を見張っているんだ。奴は図書館員を買収して、僕が行くとむやみと大きな声で話をさせたり、笑いふざけるよう仕向けた。そして奴は、僕が一人になったところを見計らって、ついに襲いかかってきたのだ……」と

ナツメは、突然白目をむき、すっかり気のふれた様子で、うわごとのように呟き始めた。

「なぜ裏の中学の連中はわざとボールを投げ込むのだ？　植え込みの陰で悪口を言っているのは誰だ？　誰が布団にバッタを入れた？　誰が僕をつけ狙っているのだ……？」

「しっかりしたまえ、きみ」私はナツメの肩を強く揺さぶった。「きみは誰かに襲われたわけじゃない。慣れないタバコの吸いすぎで気を失っただけだ。バッタ？　何を言っているんだ。だいいち、この裏に学校なんてないぜ」

ナツメは、なおしばらく朦朧《もうろう》としたふうであったが、少しして彼の目にようやく理性の光が戻ってくるのが分かった。

「おや、ワトスン君。いま帰ったのかい？」ナツメはすっかり我に返った様子で言った。

「さてはクレイグ先生のところに行っていたね？」

「えっ、どうして分かるんだい？」

「どうだい、当たったろう」

「当たったとも、大当たりだ。しかしいったいどうして……」

ナツメは笑いながら、私のズボンの尻《しり》の辺りにくっついていた小さな紙片を取り上げた。

「こんな読みにくい、下手な字を書くのは、いかにロンドン広しといえどもクレイグ先生以外には考えられないからね。なになに。〝老リアの妄執《もうしゅう》はこの世ならぬ真実への道か、それとも〟……。あとは読めないな。多分書き損じだろうが、一応あとで返してきた方がいいぜ。何しろあの先生、こんなメモを書いては、シャイロックが小金を貯《た》めるように、せっせと小箱にしまい込んでいるんだ」

「そうするよ。ところできみの方はどうだい？　一日部屋にいて、何か分かったかい？」

「うん、思ったとおりだ。ブラッドリー商会製造のシャグタバコだった」

「そりゃそうさ、きみに言われて届けさせたのだもの。僕が尋ねたのは、インチキ霊媒師殺しの事件の方だよ」

「ああ、あれか。あれなら事件としては、たいした複雑性もない。表面的には、ちょっと変わった面白味はあるがね」

「それじゃ、何が起きたのかすっかり真相が分かったというのかい？」

「もちろんだとも」

「犯人は誰なんだ？」

「いや、ワトスン君。それを言うのは、もう少し細かい点がはっきりしてからにしよう」

ナツメはそう言って、あとは何を尋ねても子細らしく頷《うなず》くだけである。……要するに〝さっぱりわけが分からない〟ということなのだ。私の顔色から考えを読み取ったらしく、ナツメは慌てた様子でつけ足した。

「僕はとりあえず七通りの仮説を立ててみたのだ。いずれも、今分かっている事実と矛盾しない仮説だがね。あとは仮説を証明する事実を集めるだけだよ」

「それで、どうするつもりだい?」

「それは……」とナツメは一瞬言葉に詰まったものの、すぐに何かを思いついた様子で口を開いた。「すまないが、トゥーティングのステラ通り《ロード》五番地までひとっ走り行ってくれないか。そこでブレッド氏に言って、カーロー君とジャック君を呼んできてくれたまえ」

「ブレッド氏というのは誰だい?」

「下宿屋の主人だよ。僕が前に……いや、違った。何しろ僕とはちょっとした知り合いでね。なあに、僕の名前を出してくれれば、それで通じるよ」

「カーロー君、ジャック君というのはそこの子供かい」

「何を言っているんだ。カーロー君とジャック君は、犬だよ」

「犬だって! なんだってそんなものを借りてこなくちゃならないんだ?」

「やれやれ、ワトスン君。きみの眉《まゆ》から上は、なにも帽子を載せるためだけに存在しているのではあるまい。すこしは中身も使ったらどうだね? 今回の事件の手がかりが匂いにあるのは明白じゃないか。となれば、なんとしても嗅覚《きゅうかく》に優れた優秀な犬が必要だ。この点において、ロンドン中の探偵を集めても、カーロー君とジャック君の二匹にはとうていかなうまいよ」

　私がぽかんとしていると、ナツメはじれったそうに言った。

「霊媒師を殺した毒薬だよ。青酸カリ……。アーモンドの香りを追うんだ」

　目指す下宿屋は、三階建ての煉瓦《れんが》長屋の並ぶ一角に見つけることができた。主人のブレッド氏に事情を話すと、彼は痩《や》せた、皺《しわ》だらけの顔に、目を丸くして言った。

「へえ、ナツメさんがね。ええ、もちろん覚えていますとも。気がふれちまったんですかい？　無理もない。あの人はうちに居たころから、ちょっと変わった人でしたからね。物ごとに敏感細緻《さいち》というのか、少しでも曲がったことは容赦しない、几帳面で、潔癖な人でした。……それにしても、へえ、あのナツメさんが、うちの犬たちのことを覚えていてくれたとはね」

　ブレッド氏は一人でぶつぶつと呟《つぶや》き、首を振りながら、二匹の犬を連れ出してきてくれた。二匹ともスパニエルとシェトランドシープの雑種であろう、毛の長い、耳の垂れた、中型の犬であった。色はいずれも茶と白のぶち、舌をべろりと垂らし、長い尻尾《しっぽ》をしきりに振っている。

「こっちが兄のカーロー。で、こっちが弟のジャックでさあ」

　ブレッド氏はそう言いながら二匹の頭を軽く叩《たた》いたが、私にはほとんど見分けがつかなかった。私がポケットに用意してあった角砂糖を差し出すと、二匹はしばらく考えている様子だったが、同時に首を伸ばして食べた。二匹とも、それでもう私とは仲よしになり、馬車に乗って帰るあいだも大変おとなしくしていた。

ナツメは通りに出て、私たちの帰ってくるのを待っていた。

「やあ、ご苦労だったね」

ナツメはそう言ったが、言葉は明らかに二匹の犬たちにのみ向けられたものであった。犬たちも彼を覚えているらしく、ひじょうに慣れた様子で、道端にしゃがみ込んだナツメの顔をなめている。

「ワトスン君、ちょっときみのハンカチを貸してくれないか。うん、どうもありがとう」

ナツメは受け取ったハンカチで顔を拭《ぬぐ》い、そのまま返してよこした。私は犬の唾《つば》でべとべとになったハンカチを、指先でつまんで尋ねた。

「自分のはどうしたんだい?」

「僕のハンカチは、すでに別の用途に使っているのさ。ほら、これだ。おっと、ワトスン君。気をつけたまえ、なにしろもう例のアーモンドの香りを染み込ませているのだからね」

「アーモンドの香りだって!」私は慌てて飛び下がった。「青酸カリのことかい?」

「そのつもりだったのだが、あいにく手元になかったものでね。お菓子に使う香料で代用しておいた。それじゃ――カーロー君、ジャック君、よく来たね。さ、これを嗅《か》ぎたまえ。

よおく嗅ぐんだぜ」

ナツメは、アーモンドの匂いのするハンカチを二匹の鼻先に持っていった。犬たちは、尻尾を盛大に振り、しきりに鼻をひくつかせている。ナツメは、丈夫な紐《ひも》を二匹の首輪につけると、高らかにこう宣言した。

「よし、捜査に出発だ！」

二匹は同時にひと声ワンと鳴いてそれに応《こた》え、尾をぴんと高く振りながら、ナツメを引きずって力強く歩き出した。

カーロー君、ジャック君の二匹の犬は、なるほど鼻のきく、優秀な犬であった。彼らは通り沿いにあるお菓子屋の前ごとに立ち止まり、ナツメを振り返って、アーモンドの匂いのする場所を逐一教えてくれたのだ。ナツメはそのたびに犬たちを褒め、頭をなでてやっている。……捜査も何もあったものではない、私たちはただロンドンの街を、お菓子屋からお菓子屋へ、二匹の犬を連れて散歩しているだけであった。

私たちはロンドン中を歩き回った。ベーカー街からハイド・パーク、サーペンタイン池のわきを通り過ぎ、バッキンガム宮殿の手前を左に折れてペルメル街、トラファルガー広場を一周し、それからリージェント街を北上してオックスフォード街を右に折れ、トットナム・コート通りからチャリング・クロス、ストランド街をテムズ川沿いにシティに向かって進むという、なんともすさまじい行程である。途中、昼食の時間になったが、ナツメは捜査を中断することなく、結局、人犬ともども、ビスケットを水も飲まずにかじっただけであった。私はとうとう音《ね》を上げて、ナツメに提案した。

「きみ、今日はもうこのくらいにしないかい?」

「何を言っているんだ、ワトスン君。捜査はまだ始まったばかりだぜ」ナツメは平気な顔で言った。「それに、せっかくカーロー君とジャック君が、こうして頑張ってくれているんだ。もう少し続けるさ」

犬たちは尾を振って、ナツメに応えた。

「しかしこれ以上続けても、ロンドン中のお菓子屋の地図ができるばかりだぜ」

「一見むだに思えることほど、あとで役に立つものだよ。さあ、もうひと頑張りだ」

二匹の犬を連れたナツメは、どんどん先に歩いていく。私はやれやれと首を振り、重い足を引きずるようにしてあとに続いた。

そのうちに、ロンドン特有の、あの黄色い霧が辺りに漂い始めた。こうなれば先を歩くナツメの背を見失わないようにするだけで精一杯である。

「や、見たまえ、ワトスン君」

ナツメがふいに足を止め、ステッキで前方を指し示した。疲労から、もっぱら足下ばかりに目が行っていた私は、顔を上げてナツメの指すものを見た。茶褐色の空に、赤黒い血のような色の太陽が低くかかっていた。

「太陽が――生命と再生の象徴であるべきあの星が、まるで死にかけているようじゃないか……。まだ昼の三時前だというのにこのありさまだ。こんな光景は、世界中どこへ行ったって、このロンドンでなければまずお目にかかれないだろうよ」ナツメは苦々しげにそう言うと、道端に勢いよく痰《たん》を吐いた。

「こちらは真っ黒ときている……」ナツメは顔をしかめ、ステッキを振って歩き始めた。「ロンドンの霧はただの霧じゃない。こんな鳶色《とびいろ》をした霧がどこの世界にあるものか。半分は煙突から出る煤煙《ばいえん》だよ。霧の中に白い灰が混じるのは、あたかも火山の灰を見るがごとしだ。どろりとした色合いといい、なんともいえぬ不快さといい、豆スープ《ピー・スープ》とはよく言ったものだね」

ナツメはそう言いながら、なんとはなしに帽子のつばにちょっと手をやった。客待ちで止まっていた辻《つじ》馬車の御者がその動きを目ざとく見つけ、ナツメに向かって人差し指を立てた。私たちが馬車を呼んだと勘違いをしたらしい。ナツメが首を振って、乗らない意図を伝えると、御者は右手を固めて激しく胸の辺りを打った。ロンドンの御者たちはそうして手を温める習慣なのだが、ナツメはびくりとおびえた様子であった。彼はしばらく黙っていたが、辻馬車が背後の霧の中に見えなくなると、また口を開いた。

「ワトスン君、僕はときどき思うのだが、ロンドンの市民は本当は暖かい日の光を嫌っているんじゃないだろうか？　見たまえ、この空を。ロンドンの空はたいていどこでも両側の建物に区切られて、細い帯のように見える。しかもその帯ときたら、朝から灰色で、霧が出ると鳶色になる。建物はもとより灰色ときている。それが二階の上に三階を重ね、三階の上に四階を重ねているのだ。僕には、ロンドンの人々が好んで冷たい石の谷をこしらえて、その底に暮らし、それだけでは物足りないとばかりに、空に煤煙を撒《ま》き散らしているとしか思えないのだよ。……考えてみれば、気味の悪い話じゃないか。ただ今、この瞬間も、ロンドン何百万の市民が、この塵埃《じんあい》と煤煙を呼吸しているんだぜ。我々は毎日、この霧を呼吸することで、自らの肺臓を死の色に染めているんだ。ロンドンで生活するということは、つまりそういうことなのだからね」

「仕方あるまい。それが嫌なら田舎にでも行くさ」

「この国の田舎に住む意味なんかあるものか。少なくとも、この僕に限ってはね」

「ははあ。さては〝シャーロック・ホームズの生きがいである犯罪は、世界の大都市ロンドンにこそ生じる〟というわけだね」

「それもある。それもあるのだが、しかし……」とナツメは少し考えたあとで、声をひそめるようにして言った。「きみも知ってのとおり、僕は今、名前は明かせないが、ある高名な人物からの依頼によって、極めて重大な事件に取り組んでいる。そのために日本からの留学生に変装しているんだ」

「なんでもそんな話だったね」

「変装というのは、本当にその人物になりきらなくては意味がない。英語を学びに来た日本人が、わざわざ田舎に方言を覚えに行くかね？　不自然だろう。日本人がイギリスに来て〝百ズー三〟式の言葉を覚えて帰ったんじゃ仕方あるまい」

「まあ、そうだろうね」

「それに、ロンドンにはロンドンの利点がある。まず古本屋が多い。日本からの留学生なら、これを利用しないはずはあるまい。それに芝居を観るには、なんといってもロンドンのウェスト・エンドに足を運ぶのがいちばんだ。芝居を観るのは娯楽じゃない。修業の一環なんだ」

「芝居を観るのが、なんの修業になるんだい？」

「何って……無論、変装のさ」

「日本からの留学生が変装の修業をするのかい？」

「や、間違った。……そうじゃない。生きた英語を覚えるのに、役に立つんだ」ナツメは慌てた様子で言葉を続けた。「それにしても、僕は日本人に変装するのが、これほど苦労とは思わなかったよ。何しろ顔が黄色いのには驚いたね」

「そんなに黄色いかな？」

「黄色いね。真っ黄色だ。ほとんど人間の色とは思えないな」ナツメは妙に力を込めて言った。「僕も今回、変装をしてみて改めて気づいたのだが、日本人に比べればイギリス人、ことに女性の顔が白いのは不思議なほどだよ。煤煙中に住む人間がなぜ美しいのかはまったく解しがたい話だが、多分太陽の光が薄いせいだろうね。それに……」

ナツメはそう言いかけて、急に口を閉ざした。ちょうど前から、霧をついて三人のイギリス紳士が姿を現したところであった。見れば、端の一人がほかに比べて一段背が低い。三人の紳士は私たちの姿に気づくと、ちょっと会釈して、わきを通り過ぎた。ナツメは背筋を伸ばし、なにやら期待する様子でじろじろと端の一人を眺めていたが、すれ違ってから、私にそっと尋ねた。

「僕と彼と、どっちが背が高かったかね？」

「向こうの方が二インチばかり高かったようだね」私が正直に答えると、ナツメはがっかりした声を出した。

「日本人の背が低いのはほとほと苦労するよ」

「そのようだね」

「しかしまあ、日本人に変装する利点もある」ナツメは気を取り直した様子で言った。「西洋人は一般に、日本人を見て愛嬌《あいきょう》がある、いつも笑みをたたえているという。なるほどそれに違いないし、実際に笑っていなくても、日本人の顔は大部分滑稽《こっけい》にできているから、つまり戦わずして敵を屈するというくらいなものさ。そのほかにも……」

と私たちがこのような会話を交《と》わすあいだも、霧は次第に濃さを増していった。辺りはすっかり暗くなり、早くも灯されたガス灯の明かりなしには、前から来る人や馬車とぶつかる危険さえあった。霧の中から辻馬車を引く馬の首がぬっと突き出される。そのとき、馬の引く箱はまだ霧の中だ。箱が見えてくると、もう馬の首は見えない。そのせいか、ナツメの歩行は大変ゆっくりになった。後ろから来た人たちは、みんな私たちを追い抜いて行く。男はもとより、女性でさえ、腰の後ろでスカートを軽くつまんで、踵《かかと》の高い靴を敷石に打ち鳴らすようにして、私たちを追い抜いて行った。彼らは、霧の中をのんびりと散歩している私たちに気づくと、呆《あき》れた顔で首を振った。ナツメはしかし、全然平気な様子である。

「おや、ワトスン君。今度は、向こうから妙な二人連れがやってきたぜ」

ナツメが小声で囁《ささや》き、前方を指し示した。なるほど正面の霧の中を、ゆらゆらと大小二つの黒い影が動いている。そのうちの一人は何やら手に長い紐《ひも》をぶら下げて、先に何か引きずっている様子であった。

「きっと、ぽっと出の田舎者だね」ナツメが私にそっと耳打ちをした。「行ってみよう、面白い人物に会えるかもしれない。なに、心配しなくても大丈夫だ。手に何かをぶら下げた方は、ひどく背の低い、チンチクリンじゃないか。それに、なんだか土気色の顔をしているようだ。シルクハットを被《かぶ》っているらしいから、まさか子供じゃあるまいが……」

と、うきうきとした様子で、足早に駆け出したナツメが突然はたと立ち止まった。

「どうしたんだい？」

追いついて背後から尋ねたが、返事はなかった。ナツメはなんだか妙な顔をしている。彼の視線の先を追うと、正面に靴屋の大きなショー・ウィンドーが見えた。私は思わず吹き出してしまった。ナツメの言う「ぽっと出の田舎者」、「背の低いチンチクリン」の「土気色の顔をした妙な奴」とは、ガラスに映った彼自身の姿だったのだ。彼が手にした紐の先では、二匹の犬たちがべろりと舌を出し、苦虫をかみつぶしたようなナツメの顔を、無邪気に振り仰いでいる。

「えへん、えへん」ナツメは取ってつけたような咳払《せきばら》いをすると、また何もなかったかのように犬を連れて歩き始めた。

「ところで、ワトスン君。今のうちに今回の事件の主要な事実を話しておこう。実際、他人に事件の経緯を話して聞かせるくらい、自分の考えをはっきりさせうることはないのだし、それに事件をよく知ってもらっておかないと、きみにしても助力のしようがあるまいからね」

「今回の事件？　霊媒師殺しのことかい？」

「当たり前じゃないか。きみは今までなんの捜査をしていると思っていたんだ」

「しかしきみ、それなら経緯も何も、僕もはじめから事件の現場に立ち会っていたんだ。今回の事件については、少なくともきみと同じくらい知っている。改めて聞くまでもないよ」

「そうかい。じゃあ尋ねるがね。きみは塔《タワー》について何を知っているんだい？」

「塔？　倫敦塔のことかい？」

「今回の事件に、ほかの塔は関係ないさ」

「倫敦塔が、今回の事件に関係があるとは知らなかったな」

「やれやれ、ワトスン君。なぜきみは、いつもそうしてただ目で見るだけで、観察ということをしないんだい？　見るのと、観察するのとは大違いなんだぜ。観察してさえいれば、倫敦塔こそが事件の中心だと、すぐに分かったはずなのだがね」とナツメは自信たっぷりに続けて言った。「霊媒師があの場所で殺されたのには、何か理由があるはずだ。いわゆる〝殺人の動機〟というやつだね。犯人は、何かの秘密がほかの者に知られるのを恐れて、犯行に及んだに違いない。ところで、思い出してくれたまえ、僕たちは降霊会が始まる直前まで、倫敦塔の話をしていたのだ。それに例の魔女騒ぎの件もある。こう考えてくると、謎のすべてが見事に倫敦塔を指し示しているじゃないか」

「僕には、なんだかこじつけのように聞こえるがね」

「それはきみが観察をしてないからだよ。事件の鍵《かぎ》は倫敦塔、それに魔女さ」

「魔女だって！　そんなものまで、事件と何か関係があるのかい？」

「関係なら、無論大ありだよ。そもそもワトスン君、きみは魔女について何を知っているというんだね？」

ナツメが思いのほか真剣な様子なので、私はちょっと肩をすくめ、仕方なく答えた。

「魔女についてはあまり知らないな。箒《ほうき》に乗って空を飛ぶ。黒魔術を使う。動物に姿を変える……。あとは、カエルの目玉やイモリの黒焼き、ネズミの糞《ふん》なんかが入った魔法のスープをかき混ぜている老婆の姿くらいしか思い浮かばないね」

「魔女に関する一般の知識はそんなところだろうね」ナツメは頷《うなず》いて言った。「そして問題は、そのどれもが嘘っぱちであるということだ。みんなが知っている嘘というやつは侮《あなど》れないよ」

「どういうことだい？」

「その点はあとで検討することにして」とナツメは、あいた手を顔のわきでひらひらと振って続けた。「次に倫敦塔だが、ワトスン君、例えばきみは倫敦塔と聞いて真っ先に何を思い浮かべるかね？」

「こちらは逆に、思い浮かべることがたくさんありすぎて難しいな。なにしろ、塔の起源はローマ時代の砦《とりで》にまで遡《さかのぼ》ることができる。塔の歴史は、そのままロンドンの歴史と言っていいくらいだからね」と私は首をひねり、「そうだな。例えば、二人の王子の悲劇はどうだい？　シェイクスピアが『リチャード三世』に書き込んだ例の事件さ。塔に閉じ込められた二人の幼い兄弟――エドワード五世とヨーク公が、伯父《おじ》リチャードの放った刺客に殺される場面で涙を絞らない観客はいないよ。たしか、塔に幽閉された二人の王子の姿を描いた絵もあったはずだ」

「ドラローシュの絵のことだね。うん、あれなら僕も見たよ。なかなかの傑作だ。ほかにはどうだい？」

「新しいところでは一八四一年に起こった火事、あるいは一七世紀のガイ・フォークスによるジェームズ一世の爆殺未遂事件がある。いずれも倫敦塔に関係しているが……。待てよ。そうだ、王女ジェーン・グレーの悲劇があった。うん、あれがいちばんだろう。当時のイギリスきっての才媛ジェーン・グレーが、義父と夫の野心のために王位に祭り上げられ、結局十八歳という若さで、この塔で処刑された。倫敦塔を背景に繰り広げられた彼女の悲劇は、この国のカトリックとプロテスタントの争い、のみならず、世俗と超越、野心と尊厳といったもののせめぎ合いを考えるのに格好の題材だからね。僕は読んでいないが、エインズワースの有名な小説『ロンドン塔』は、この場面を中心に作られたものだと聞いている……」

　と私はその後も、思いつくまま、倫敦塔にまつわるいくつかの挿話を話して聞かせたが、ナツメはたいして感心した様子もなかった。

　その間も、霧はいよいよ濃さを増し、私たちはお互いの顔以外、ほとんど何も見えないありさまであった。時折、黄色い霧のベールを隔てて、馬車を引く馬の蹄《ひづめ》の音、それに鈴の音が通り過ぎてゆく。と思うと、背後から靴音とともに人の気配がすぐ傍らを追い越していき、はっと驚くこともあった。すべてが輪郭を失い、霧の中をただ、ぼんやりとした影法師だけが動いている。私はなんだか、自分でも気がつかないうちに夢の中の世界に迷い込んでしまったような、不思議な感じがしていた。

　ロンドン橋を右手に折れ、マイルズ街からナイト広場へ曲がろうとしたところで、急に二匹の犬が立ち止まった。犬たちは、そうして上に向けた鼻をひくつかせて、しきりに匂いを嗅《か》ぎ始めた。

「ワトスン君！」ナツメが私を振り返って声を上げた。「カーロー君とジャック君が、ついに何かを嗅ぎつけたようだ」

　二匹の犬は、片耳を立て、片耳を垂れ、ナツメをちょっと見上げ、それから低く唸《うな》り始めた。

「どうしたんだ、カーロー君、ジャック君。いったい何を嗅ぎつけたんだい?」

ナツメは二匹の犬の濡《ぬ》れた鼻先に、ぴたりと顔を寄せて尋ねた。

私はふと、前方の霧が揺らめくのを見た。次の瞬間、霧の中からいくつかの黒い影が飛び出した。

あっと思う間もなく、影たちはナツメに向かってまっすぐに襲いかかっていった。

# 8　ホームズへの手紙

九月二十三日　ロンドン、ベーカー街二二一Bにて
親愛なるホームズ君へ
昨日僕が打った電報には、さぞかし驚かれたことと思う。何しろ僕自身、ひどく慌てていたのだ。まさか本当にナツメを狙っている者があろうとは、まったく考えてもいなかったのだからね。それに——。
いや、それはともかく、まずは事件の詳細を報告するとしよう。
僕たちが散歩の途中、霧の中から飛び出してきた曲者《くせもの》に襲われたというのは電報で知らせたとおりだ。ナツメを襲ったのは、いずれも人相のよくない、労働者風の三人の男たちだった。男たちは、一緒にいた僕には目もくれず、ナツメ一人を取り囲むと、彼に向かって激しい口調で「事件から手を引け」「これ以上首を突っ込むな」と口々に要求したのだ。
……それにしても、僕は近年《こつぜん》、あのときほど事態の展開を予期できなかったことはないよ。もちろん、霧の中から忽然と現れた不審な男たちの存在が、その第一だ。第二に、せっかく彼が連れていた二匹の犬は全然役に立たず、犬たちはナツメを見捨ててさっさと逃げ出

してしまった。第三に、なにより僕は〝ナツメはその気になれば曲者たちをいつでも投げ飛ばすだろう〟と信じて、平気で事態を見守っていたのだよ。なぜと言って、ホームズ、僕はきみから「日本にはバリツという格闘術のあること」、それに「およそ日本人の男性は皆、子供のころからバリツを学び、護身術に優れている」と聞いていたからね（註『空家の冒険』参照）。だから僕はてっきり〝ナツメは相手の正体を見破ろうとして、手を出さないでいるのだろう〟と思っていたんだ。

ところが、いつまで経ってもナツメは曲者たちを投げ飛ばそうとはしない。それどころか、黄色い顔がだんだん紙のように白くなって、男たちの問いにろくに答えることさえできない様子だ。返事のないのに業を煮やした男たちが、ついにナツメを小突き回し始めたのを見て、僕は慌てて事態に介入することにした。僕がステッキを振り上げて近づくと、男たちはクモの子を散らすように逃げていった。多少の抵抗を予期していたので、なんだか拍子抜けしたくらいだ。

曲者たちが逃げ去ったあと、振り返ると敷石の上にナツメが倒れていた。抱き起こしてゆさぶっても、目を開けない。僕はしまったと思った。曲者たちが僕の知らないあいだにナツメを害したと思ったのだ。僕は急いで馬車を呼んで、ナツメを部屋に連れ帰った。そしてハドスンさんに頼み、

――なつめガ襲ワレタ。犯人不明。詳細ハアトデ知ラセル。

というあの電報をきみ宛に打ってもらったわけだ。

心配しているといけないから最初に言うが、安心してくれたまえ。ナツメは、もうすっかり元気だ。けろりとしている。彼は恐怖のために気を失っただけだったのだ。倒れたときに膝《ひざ》を少し擦りむいたようだが、傷といったってそんなものだよ。僕が膝の擦り傷を消毒してやっているあいだ、ナツメはおおげさに顔をしかめてこんなことを言った。

「失敗したよ、ワトスン君。いくらなんでも、雲をつくような大男たち数十人に取り囲まれて、いきなり四方八方から殴りかかられたのではね。僕も、あれじゃもてあまそうというものだ」

確認するが、彼を取り囲んだのは普通の体格の三人の男たちで、彼らはまずナツメに言葉で要求し、ところがナツメが口もきけずにいたので、返事を求めて、彼をちょっと小突いただけなのだ。

「どうやら僕は、真相に向かう正しい道を歩いていたようだね」

手当てが終わると、ナツメはズボンの裾《すそ》を下ろして、なんだか嬉《うれ》しそうな顔で言った（以下は、そのとき僕とナツメとのあいだで交わされた会話だ。いささか興味深いので、そのまま書いて送るとするよ）。

「ところでワトスン君、きみは〝ヒョウタンからコマ〟という言葉を知っているかい？」

「いや。だが、ヒョウタンとは面白い言葉の響きだね」

「ヒョウタン自体はべつに面白くもなんともないさ。瓜《うり》の仲間で、こんな形をしている」

と彼はそう言って、紙に絵を描いてみせた。

「妙な形だね。何に使うんだい？」

「何に使う？」ナツメはちょっと、きょとんとしたふうであった。「この中が空洞になっていて、水やら酒やらを詰めるのさ。そんなことはどうでもいい。ちぇっ、きみが相手だと、話が全然進まない。ヒョウタンナマズだ」

「ヒョウタンナマズ？　なんだい？」

「なんでもいいさ」ナツメは煩《うるさ》そうに手を振った。「じゃあ〝ヤブヘビ〟という言葉はどうだい？　もとは〝藪《やぶ》をつついて蛇を出す〟というのだがね。ロンドンじゃ、さしずめ〝霧へビ〟だね」

「霧から蛇が出るかな？」

「出るんだよ。蛇だけじゃなくて棒も出る」

「へえ。ほかには何か出るかい？」

「そうさね。鬼なら出してもいい」

「鬼なら聞いたことがある。日本の悪魔のことだね。なんでも角《つの》があるそうじゃないか」

「角なら牛やヤギにもあるさ。悪魔とは少し違うな。まあ天狗《てんぐ》の親戚《しんせき》だよ」

「天狗は鬼とは違うのかい？」

「まあ別だろうね。河童《かっぱ》や座敷童《ざしきわらし》、狐狸《こり》、のっぺらぼうとなると、これはもう明らかに別ものだ」

「そんなにたくさん魔物がいるとは、日本というのはよほど恐ろしい国だね」

「なに、恐ろしいことがあるものか。だいいち、連中は恐ろしくもあるが、同時に愛すべき存在でもある」

「日本人が悪魔を愛する民族とは知らなかった」

「だから悪魔じゃないんだって。きみも分からないな。日本の魔物たちは、イギリスほどはっきりと善悪を区別されないんだ。魑魅魍魎《ちみもうりょう》だって、つねに悪をなすわけじゃない」

「魑魅魍魎というのはなんのことだい？」

「鬼や天狗やのっぺらぼうなんかの総称だ」

「やっぱり悪魔のことじゃないか」

「だから……」

と、こんな調子で続いたわけだが、なんだかきみが顔をしかめて文句を言う姿が目に浮かんできたよ。

「ワトスン君、推理に必要なのは事実だ。何が起きたのか。事実を知らせてくれたまえ」

ところが困ったことに、僕には目の前で何が起こっているのかさっぱり分かっていないのだ。誰がナツメを襲ったのだろう？　そもそもなぜ彼は襲われなければならなかったのか？　なるほど男たちは「事件から手を引け」「これ以上首を突っ込むな」と言った。しかし連中はどの事件を指して言ったんだい？　ナツメは、ありもしないアーモンドの香りを追ってロンドン中を歩き回っていただけなのだ。それとも僕たちは、自分でも知らないうちに、本物の事件にかかわってしまったのだろうか……？

本物の事件？　僕が言っているのは、もちろん例の〃インチキ霊媒師毒殺事件〃のことだ。もしそれが真実だとしたら、ナツメを襲った男たちの正体を知るためにも、僕たちはあの事件の謎を解かねばならないことになる（さもなければ、いつまた襲われるか知れたものじゃないからね）。しかし妄想に憑《つ》かれたナツメはいったい何を知っているのだろう？　彼の行動の、いったい何が犯人を刺激してしまったのだろう？

ナツメにいくら尋ねても、前述のような〃ヒョウタン問答〃になるばかりで埒《らち》が明かない。そもそもナツメ自身、何も分かっていないのだ。

そこで僕は、きみのやり方を真似て、事件の疑問点を今一度洗い直してみることにした。

例えば——これはナツメが指摘したことだが——死んだ霊媒師はロバート卿《きょう》の秘密を握っていて、巧みに装われた降霊会で卿を強請《ゆす》ろうとしていたとしたらどうだろう？　なるほど降霊会でのロバート卿の行動にはいささか不審な点がある。霊媒師が殺されたとき、彼は大声で会を中止するよう求めていた。それどころか彼は、テーブルの上に這《は》い上がり、霊媒師につかみかかろうとさえしていたのだ。そもそも、彼はなぜあの降霊会に参加していたのか？　これらの疑問は〃ロバート卿が霊媒師を殺した〃という可能性を指し示しているようにもみえる。

また、霊媒師が死ぬ間際に呟《つぶや》いた言葉は、確かに「レディ……」と聞こえた。ロバート卿は「霊媒師はレディ・マクベスと言って死んだ」と証言したが、レストレード警部は卿の証言は嘘だと断じた。では、卿はなぜそんな嘘をついたのか？　そして、もし卿の言葉が間違いなら、降霊会参加者のなかで〝レディ〟の称号で呼ばれるのは、レディ・リリー・オズボーンただ一人だ。霊媒師は犯人として彼女の名前を言い残そうとしたのだろうか？　もしレディ・リリー・オズボーンが霊媒師を殺したのだとしたら、動機は何か？　彼女は見るからに気位が高そうだった。もしかすると彼女は、社会主義かぶれにして無類の芝居好きの夫、ロバート卿に愛想を尽かし、別の誰かと浮気をしているのではないか？　おお、ホームズ。こんなことはまったく浅ましい想像だ。だが、僕がこう考えたのには理由がある。というのも、ロバート卿が「歯医者からのものだ」と言った、あの手紙だよ。〝ジャイルズ〟というあの差出人は、もしかするとレディの浮気相手だったのではあるまいか？　しかし、そうするとその手紙をなぜ夫のロバート卿が持っていたのかが分からなくなる。

警察はむしろ、現場から姿を消したアイルランド人エミリー・ホワイト嬢を疑っているようだ。だが彼女はなぜ、変装してまで、ただちに殺人現場を逃げ出さねばならなかったのか？　彼女が事件で果たした役割はなんだったのか？　それとも彼女は本当に霊媒師を殺したのか……？

もっとも、以上のようなことは、僕にとってはやはり純然たる思考訓練の域を出ない。僕には、失踪《しっそう》したエミリー嬢を含め、あの場にいた誰かが霊媒師を毒殺したとはどうしても信じることができないのだよ。

明日はクラパム・コモンにあるナツメの下宿に招かれている。なんでもロンドンにいる日本人を集めて会が催されるそうだ。せっかくなので僕も参加するつもりだ。詳細は次の便で報告するよ。おそらく興味深い読み物になるんじゃないかと思う。

九月二十四日　ロンドン、ベーカー街二二一Bにて

親愛なるホームズ君へ

きみが遠くスコットランドの地で難事件の解決に苦心しているあいだ、僕はきみに代わって気のふれた東洋からの留学生ナツメを預かることになった。正直に言うと、僕は最初は「また、なんというやっかいなことを押しつけられたのだろう」と、ほとほと迷惑に感じた。「なぜ僕が、よりにもよって自分をシャーロック・ホームズだなどと思い込んでいる日本人の面倒を見なくてはならないのか」と恨めしく思ったものだ。

しかしここにきて、僕はなんだかナツメとつき合うのが面白くなってきたよ。彼を通じて、日本という未知の国を垣間《かいま》見るのは大変興味深い経験だ。そのうえ、ナツメとともに今回のとらえどころのない奇妙な事件を捜査(?)することで、これまで僕が知っていると思っていたこのロンドンが、まったく別の、新たな街に見えてきたのだからね。

それはともかく、事実の報告だったね。先便はナツメの下宿に招かれたことを報じて結びとしたはずだから、まずはそこで僕が見聞したことについて報告しよう。

ナツメの下宿は、クラパム・コモン駅の近くの、チェイス通り八一番地にあった。例のリール姉妹が経営する下宿屋だ。

ナツメが借りているのは、三階の北向きの一部屋だった。ドアを開けて、まず僕の目に飛び込んできたのは、部屋中に辺りかまわず積み上げられたたくさんの書物だった。ざっと見たところ、小説、戯曲、評論、といった文学の本が中心だったが、なかには科学雑誌や画帖《がじょう》といった、全然関係のない本も交じっている。いずれにしても大変な数だ。そして、ことごとく古本だ。僕は、ナツメがわずか二年前にロンドンに来たことを思い出して、よくもまあこれだけ集めたものだと感心した。だが、僕が驚いたのはそれだけじゃなかった。何しろ……。

いや、ホームズ、僕があの部屋で何を見たか、いかにきみでも当てることはできないと思うよ。

僕は以前、きみの比類なき活躍を世に著した際、ついでに僕たちの部屋の様子もちょっと描いておいた。つまりきみがつねづね「事件とはなんのかかわりもない」「余計な文学的装飾だ」と非難している箇所だが、僕はそこで〝ヨーロッパ随一の明敏なる推理家にして精力的な私立探偵〟シャーロック・ホームズが、しかし〝同居人であれば、ほとほとてあますであろうほどだらしのないこと〟、例えば〝葉巻を石炭入れの中にしまい込み……刻みタバコはペルシア製の室内靴《スリッパ》の中〟、また〝返事を出すべき手紙を、海軍ナイフでマントルピースの木枠の真ん中に突き刺しておく〟といったことを挙げておいた（きみが顔をしかめる様子がまたしても目に浮かぶが、事実だから仕方あるまい）。

ところがナツメは、そういったことをいちいち几帳面に真似ていたのだ！　僕が訪ねていくと、ナツメは葉巻を勧めて石炭入れを指さし、マントルピースには手紙が海軍ナイフで突き刺してあった。試しに刻みタバコを所望してみると、案の定、ナツメはペルシア製の室内靴を僕に差し出した。僕は笑いをこらえるのに懸命だったが、ふと顔を上げて、壁に〝E・R〟（註　エドワード王。『マスグレイヴ家の儀式』に、ホームズが銃弾をもって〝V・R〟〈ヴィクトリア女王〉と壁に刻んだという挿話が見られる）と弾痕《だんこん》らしき文字が飾ってあるのを目にしたときには、さすがに呆《あき》れて声も出なかった。

　そうこうしているうちに、その日の会の参加者が集まってきた。全員日本人だ。平板な黄色い顔で目が細く、みんな背が低い。僕は、ナツメに教わったとおり、日本式に頭を下げて挨拶《あいさつ》をした。きみは知るまいが、この作法は頭を上げるタイミングがひじょうに難しい。なんでも、早く頭を上げると相手に対して礼を失したことになり、逆に遅すぎても駄目なのだそうだ。

　苦労してなんとか挨拶を済ますと、彼らは皆、唐突に靴を脱ぎ始め、裸足《はだし》になった。全員、まるで東洋の仏像のように床の上に尻《しり》を落として座り込み、足を組んだ。そうして、皆で奇妙なお祈りを唱えたあと、見学している僕の目の前で、不思議な言葉のやり取りを始めたのだ。

　実際それは、それまでに僕が経験したどんな会《パーティ》と比べても、まったく奇妙としか言いようのないものだった。もちろんひとつには、彼らが、僕には理解のできない日本語で話していたせいではある。だが、理由はそれだけではなく、その証拠に、ナツメは会話をいちいち僕に通訳してくれたのだが、それでも彼らがそこでいったい何を話しているのか、僕にはさっぱりわけが分からなかったのだ。例えば、彼らの一人がまずこう言う。

「空の狭い都に住んでいる。十月」

するとほかの参加者はしばらくうーんと唸《うな》り、またおもむろに別の一人が口を開く。

「三階の部屋に一人で寝に行くのは寒い」

おお、という声が上がり、またしばらくして別の一人が、

「イタリア人が道端で栗を焼いている」

といった具合なのだ。

そうして全員がひと言ずつ話し終えると、記録係が竹と毛で作ったフデにスミ（煤《すす》の塊。水に溶いて使う）をつけ、巻いた紙に言葉をうやうやしく書き取り、お互いに頭を下げて、会はそれでお開きとなった。参加者は僕に一人ずつ、また例の日本式に頭を下げるやり方で挨拶をして、部屋を出て行った。そのあとで、ナツメは僕を誘って散歩に出た。

会が行われているあいだ、ナツメは正気に見えた。僕はもしやと思って、さりげなく彼にこう呼びかけた。

「ところで、ナツメ……」

「ははは、ワトスン君。もういいよ。芝居は終わりだ」

まだすっかり正気というわけではないらしい、と僕は了解した。

ナツメは上機嫌の様子で、勢いよくステッキを振り回しながら僕に尋ねた。

「ところで、ワトスン君。今日の会についてどう思ったかね？　僕の伝記に新たな一ペー

ジを加えることができそうかい」

「どうもこうも、僕にはきみたちが何をやっているのかさっぱり分からなかったよ」

「おや、どの辺りが分からなかったんだね？」

「どの辺りって、全部さ。僕には、きみたちが暗号をやり取りしているとしか思えなかった」

「やれやれ、俳句が暗号とはね。あれは日本の詩だよ。相変わらず詩心のない男だねえ」

「詩の会だったのか。僕はまたてっきり……」

「てっきり、なんだい？」

「政府転覆を企《たくら》む秘密結社の会合かと思った」

「ははははは。なるほど、政府にとって詩くらい危険なものはないからね。今度いちど、レストレード君を誘ってみるとしようかな」

「笑いごとじゃないぜ。レストレードなら、きみたちが偽名を使っていることだけで警察に引っ張りかねない」

「偽名？　なんの話だい？」

「会では皆、お互い妙な名前を使っていただろう。ほら、ヒヒだのヒョウイッだの、そんな名前さ。はじめに紹介されたときは、彼らはそんな名前じゃなかったはずだぜ。きみだってソーセキなんて変な名前を名乗っていた。なんだいソーセキというのは？」

「ああ、雅号のことだね」と頷《うなず》いたナツメは続いて、自分の言い間違いを取り繕うために無理やり石で口を漱《すす》ぎ、流れを枕に眠ってみせた男の逸話を教えてくれた。

「つまり、そのとんでもない偏屈男がきみの雅号とやらの由来なんだね」

「うん。まあ、そうだ」ナツメはにやにやと笑いながら「ほかにもっと何か気づいたことはないのかい」

「裸足になるのはなぜだい？」

「あれは、まあ、日本の習慣だよ」

「日本人はずいぶん足の指が発達しているね。あれなら足の指でなんでもつかめそうだ」

「妙なことばかり気がつくね。日本人は下駄《げた》や草履をはくからああなるのさ」

「それじゃ、会を始める前に皆で唱えていた妙なお祈りにはどんな意味があるんだい？」

「あれは……」と言いかけたナツメはふと口を閉ざし、足を止め、遠くを見るようにして言った。「あれは、古い友人の口癖なんだ。ダーダー・ファブラ。ラテン語だよ。なんでもホラティウスの諷刺詩篇《ふうししへん》中に出てくる言葉で、〝お前は何がおかしいのか？　名前を変えれば、お前について話が語られているのだ〟という意味らしい。俳句は彼に教わったのさ。シキにね」

「シキ？」

「うん。恐るべき変人だよ」

「きみ以上にかい？」

「とても相手にならない」ナツメは軽く手を振って言った。「果物がたいそう好きな男でね。かつ、いくらでも食う。あるとき彼は、僕が見ている前で大きな樽柿《たるがき》をたちまち十六個も平らげた。それであとでなんともないんだから、たいしたものさ。それに、寒くなると、彼は決まって火鉢を抱えて厠《かわや》に入る。臭いんじゃないかと思うが、当人は平気なものだ。そのうえ、同じ火鉢で肉を焼いて食うんだから、僕などはとてもかなわない。厠の中では、お湯の中で屁《へ》が浮いたような、ひょろひょろ声で歌を唄《うた》う。歌が聞こえてくると、ああまたシキが火鉢を持って厠に入っていると、僕らはうんざりしたものさ。ま、たいした男だよ。シキの影響で、日本では俳句がひじょうに盛んになった。僕が俳句を作るのだって、シキに勧められたからだ。……そうだワトスン君、きみもひとつ俳句を作ってみてはどうかね？」

「作ってもいいが、作り方が分からない」

「イギリス人はたいてい、恐ろしく詩を理解しないからね。そういえば、これは昔——シキがまだ大学にいたころの話だが——彼が日本でもっとも有名な古池の句を英語に訳して、イギリス人教師を魂消《たまげ》させたことがあった。もっとも、そのときの彼の訳というのが、

Old pond! the noise of jumping frog.（註　古池や蛙飛びこむ水の音。芭蕉の句）

というすこぶる怪しげなものだったから、相手が驚いたのも無理はないがね」

ナツメはそう言って一人でくつくつと笑っている。これはいよいよ本格的に気がふれたらしいぞ、と心細く思っていると、ナツメはまたふいに普通の様子に戻って言った。

「僕がロンドンで作った俳句をいくつか教えるから、まずはそれを真似てみてはどうだ

い？　たしかアリストテレスが〝芸術は真似から始まる〟と言っているはずだ（註　正確には〝芸術は自然を模倣する〟）」

　ナツメはそうして、彼がロンドンで作ったというハイクをいくつか僕に教えてくれた。例えば「美術館の場所を栗を焼いている人に尋ねた」とか「花売りの娘が真珠の耳飾りをしていた。寒い日」といった日常のささいな経験を歌ったものであり、またヴィクトリア女王の葬儀を見て歌った「葬儀の車が通る。木枯らしも吹き止んだ」や「警護の者たちが、いかめしい熊の皮の頭巾《ずきん》を被《かぶ》っている」「金銀で飾られた柩《ひつぎ》。あれなら寒くないだろう」といったものだ（ほかにスミレの花を歌ったものがあった。ナツメはそ知らぬ顔をしていたが、僕はキャスリーン嬢のことを詠《うた》ったものじゃないかと思う）。

　ホームズ、きみも知ってのとおり、僕はなるほど詩心のない男だが、彼の作るハイクをいくつも聞かされるうちに、なんだか自分でもひとつくらいは作れるような気がしてきた。そこへきて、ナツメが「さあ」「さあ」と僕に迫る。しばらく頭をひねった末に、こんな詩ができた。

　　落ちざまに　虫を伏せたる　椿哉《かな》

　ナツメはなかなかうまいと褒めてくれた。褒められて、僕も悪い気はしない。ちょっと得意に思っていると、ナツメは続いて、目を輝かせてこんなことを話し始めた。

「おかげで助かったよ、ワトスン君。じつを言うと、きみが俳句を作ることができるかどうかは、僕にとってはまさにシェイクスピアの例の台詞〝生きるべきか死ぬべきか〟の大問題だったのだ。東洋の一島国である日本の俳句という詩の形式が、西洋の大都会ロンドンで通じるものだろうか？　僕はかねて、ひじょうに不安に思っていた。だが、きみがこうして立派に俳句を作れたということは、とりもなおさず日本の詩の形式、また日本の文学の普遍性が証明されたということになる。もちろん、西洋の文学と日本の文学、それぞれの背景となる精神には大きな隔たりが存在している。その溝は、あるいは太平洋とインド洋を合わせたより大きなものかもしれない。一例を挙げれば、西洋の文学は言葉で伝えることに主眼が置かれるのに対し、日本の文学ではむしろそこに書かれなかったこと、つまり拈華微笑《ねんげみしょう》の精神こそが重要視される。その結果……」

「ネンゲミショウというのはなんだい？」

「うん？　ネンゲミショウは、つまり以心伝心のことさ」

「イシンデンシン？」

「いいから、少し黙って聞くんだね。それともきみは、文学なぞどうなってもいいと言うのかい」

「そんなことは言ってないさ」僕は肩をすくめた。「しかしだね、ホームズ。きみはなんだって急に文学の話なんか始めたんだ？」

「なぜって、そりゃあ……」とナツメは足を止め、目を白黒させていたが、そのうち何かを思いついたらしく、にやりと笑って言った。「じつはねワトスン君。僕は探偵業のほかに、いささかの野心をもっているのだよ」

「養蜂業《ようほう》だね」

「養蜂業？　なんだって僕が蜂の世話をしなくちゃならないんだ？」ナツメは呆気《あっけ》に取られた様子で目を瞬いて言った。「僕の野心というのは、ものを書くことだよ。ちょうどきみが今、僕のことを書いているように、僕も自分の書いたものを広く世に著そうと思っているんだ」

「なんだ。それなら大いにやるがいいさ。そのときは僕も応援するよ」

「しかしそうすると、たちまちうんざりするような事態が生じるだろう」

「どんな事態だい？」

「僕が何か面白いものを書いたとしよう。それで少しは名前が知られるようにでもなれば、世の人たちは僕の書いたものをもう読もうとはせず、僕がどんな人物なのか、そのことばかりを知りたがるようになるんだ」

「まさか？」

「ふん」ナツメは鼻を鳴らした。「今から百年後に僕たちのことを書く奴がいたとしたら、そいつの書いたものを読んでみたいものだよ。……どうせろくでもない、嘘ばかり書いているだろうがね」

ナツメはそう言ってまた、ステッキを振り回しながら歩き始めた。

僕たちは、その後もしばらくのあいだ、その辺りをぐるぐると散歩して回った。ナツメの話は、相変わらず取り留めのないものだったが、その代わりなんだか妙なおかしみがあって不愉快に思うことは一度もなかった（なんでも東洋では俳味《はいみ》、もしくは禅味《ぜんみ》といって、諧謔《ユーモア》を貴ぶのだそうだ。その点イギリス人と似ていなくもない）。

散歩の途中、ナツメにこんな言葉を教えてもらった。〝オタンチンノパレオロガス〟。なんでも「おまえは頓馬《とんま》だ」と言って、しかも相手を怒らせたくないときに使うのだそうだ。なかなか便利な言葉だね。

僕はなんだかナツメのことが好きになってきたよ。きみが帰ってきたときに、ナツメを紹介するのが今から楽しみだ。

追伸

この手紙を出そうと思っているところへ、きみからの電報を受け取った。すまないが、僕には意味がよく分からない。「ナツメが床の上に椿を見つけたとき、きみの顔は左右どっちを向いていたか」だって？

以前に手紙にも書いたとおり、僕はそのときレストレード警部と話をしていた。警部は部屋のいちばん奥の死んだ霊媒師の席についていたから、僕の顔も当然そっちを、つまり右手の方を向いていたはずだ。……そんなことが今回の事件と何か関係があるのかい？　それとも僕はきみの質問を取り違えているのだろうか？　もしそうなら、もう一度電報を打ってくれたまえ。そのときは、もう少し分かりやすい質問にしてくれると助かるのだがね。

# 9　自転車日記

前述のホームズへの報告書を郵便で出した翌日、リール姉妹がふたたびベーカー街を訪れた。二人の老嬢は、相変わらず、奇妙な話し方で私に用件を告げた。

「ナツメさんの」
「日記の翻訳が」
「でき上がったので」
「あなたに目を通していただくよう」
「クレイグ博士から」
「ことづかって」
「きましたのよ」

私はそのたびに交互に話し手へ顔を振り向けねばならず、目が回ることひと通りでなかった。そのうえ彼女たちは、対照的な体格をしている一方、顔立ちがひじょうに似ているので、しまいには一人の年配の女性が私の目の前で忙しく痩《や》せたり太ったりしているような錯覚にとらわれたほどである。

「日本語の」

「写しも」

「ございますのよ」

「日本語ですって？」私はようやく口を挟んだ。「しかし、なんだってそんなものを？　私は日本語なんて一文字も分かりませんよ」

「何といって」

「念のために」

「決まってますわ」

「ねえ」

リール姉妹はそう言って顔を見合わせ、にこにこと人のよい笑みを浮かべている。

「分かりました」私は両手を上げて言った。「ともかく、全部お預かりします。読んでみますよ」

二人の依頼人を丁寧に部屋から送り出した私は、二重の足音が階段を下りていくのを扉越しに確認して、やれやれとため息をついた。

　テーブルの上には、ナツメの日記の英語翻訳、それに日本語の写しとやらが残された。私はまず英語の方を取り上げ、ざっと目を通して首をひねった。リール姉妹は〝日記〟と言ったはずだが、肝心の日付が見えない。翻訳の際に欠落したのだろう。すると、日本語の写しは日付の突き合わせのためということになるが、そもそも私には日本語のどの文字が日付を表すかさえ分からなかった。
私はともかくパイプに火をつけ、窓際の椅子に座って、ナツメの〝日記〟を読み始めた。以下は、その一部を抜粋したものである。

＊

某月某日――ロンドン市民が他人に席を譲ること、日本人のようにわがままではない。
ロンドン市民が己の権利を主張すること、日本人のように面倒臭がらない。
ロンドン市民がイギリスを自慢すること、日本人と同じである。

某月某日――道行く人がよい天気ですなと言っている。こんなものがよい天気ではたまらない。一度〝日本晴れ〟を拝ませてやりたいものだ。

某月某日――世間知らずのイギリスの女には困る。ある婆さんは迷信というものを知っているかと尋ねた。よくよく聞いてみると、意味を尋ねたんじゃない、superstition という綴《つづ》りを知っているかと尋ねたんだ。別の女はトンネル (tunnel) という字を知っているかと尋ねた。呆《あき》れてものも言えない。

某月某日――下宿の連中はみんなで犬の品評会を見に行った。表はひどい天気で、雪まで降っている。当地の者は天気を気にかけない。禽獣《きんじゅう》に近い。

某月某日――こちらの女は顔へ網を被《かぶ》って歩いている、網を被っているものは日本では柿《かき》餅《もち》ばかりだ。男は頭へ釜《かま》をのせている。

某月某日――往来を歩くとどいつもこいつも小憎らしい顔ばかりだ。愛嬌《あいきょう》のある顔をしている者は一人もいない。その代わり、子供で洟《はな》を垂らしている者は一人もいない。

某月某日――近ごろひじょうに不愉快なり。くだらぬことが気にかかる一方で、ひじょうにズーズーしいところがある。妙だ。

某月某日――二人の女が余を目して least poor chinese と言った。

某月某日――バスに乗ったらアバタのある者が三人乗っていた。

某月某日――美は事実なり。美は世界のなかに一人屹立《きつりつ》してある。

某月某日――生涯の伴侶《はんりょ》とすべき理想の美人についてI氏と一晩中語り合う。さんざん話したあとで、両人とも現実との乖離《かいり》に気づいて大笑いする。
某月某日——連日、足を棒にして歩き回る。下宿に帰っても疲れすぎていて眠れない。
某月某日——我々日本人はぽっと出の田舎者のアンポンタンの山猿のチンチクリンの土気色の不可思議な人間であるから西洋人からばかにされるのももっともだ。これに加えて西洋人は日本のことを知らない。そもそも日本のことに興味をもたないのだ。だからもし、我々が西洋人に知られ、尊敬される資格があったとしても、彼らがこれを知る気がなければ、双方のあいだに尊敬とか恋愛とかいうことはとうてい成立しないだろう。
某月某日——日本のことを知りたい女もいるのを知る。本当だろうか？
某月某日——あなたはこんな生活をしていて愉快ですかと尋ねたら、真に幸福ですと答えた。なぜですと尋ねると、宗教を信ずればなりと答える。ありがたき女なり。
某月某日——薔薇《ばら》二輪六ペンス、百合《ゆり》三輪九ペンス、素敵に高いなり。
某月某日——己と己の争い、己と他人との争い、己と自然との争い。

## 結婚法の可否（西洋と日本）

某月某日——微行はちょっと洒落《しやれ》ているが尾行は一向幅が利かない。だいいち尾行などするのは探偵ばかりだ。飼い犬でさえ時によると、ひと足先に御免こうむって曲がり角で用を足すじゃないか。

某月某日——後ろから「ヤッツケロ」という声がして暴れ者が両手を出す。人の頭を太鼓か何かだと思ってやがる。

某月某日——ウッカリしているところを後ろからスカリ、ポンと首が落ちるなどは一寸乙《ちよつとおつ》だが、ありがたくない方の乙だから、まずそんな椿的《ちんてき》ご成敗はご容赦願いたいものだ。

と、まあ、だいたいがこんな調子である。最後の方はなんだか意味がよく分からないが、ともかく、日記に書かれたナツメの生活は、毎日相当な時間をついやしてやたらに市内を散歩する。一般に外国人には評判の悪いイギリスの食事については文句を言わない。何度か下宿を替わった（リール姉妹の下宿屋は四軒目）。チャリング・クロスの古本屋とクレイグ博士のところにせっせと通い、ときどきシキという友人に手紙を送る……。といったところで、外面的には取り立てて変わったところもない。外面的には？　だが、内面はどうだったのだろう？

私は日記の翻訳をテーブルの上に戻し、パイプの先から立ち上る紫色の煙を眺めながら、日記には直接書かれていない、ロンドンでのナツメの内面の生活を想像してみた。

ナツメはロンドンに着いてまず、祖国日本の市民とロンドンの市民とを比べて、彼我のあまりの違いに愕然《がくぜん》としたのではあるまいか？　そのうえ彼は、日本のことをよく知らないイギリス人たちから、彼自身がまるで無知蒙昧《むちもうまい》の民のように扱われ、自尊心をいたく傷つけられた。そこで彼は、なんとか日本の優れた点を見つけようと苦心した。ところが、彼が祖国に見つけたのは、みんな自然が作り上げたものであり、あるいは日本でのみ貴ばれうる特殊なものだった。だから彼は、降霊会が行われる前、フジヤマを褒めた人たちに向かってこう言ったのだ。「フジヤマは天然自然に昔からあったもので、日本人が拵《こしら》えたものじゃない。つまり日本人が自慢するものは何もないのだ」と。

ナツメは鬱々《うつうつ》として楽しまず、やがて神経症的兆候が現れた。道を歩けば歩いたで、バスに乗れば乗ったで、ほかの人の様子がむやみと気になる。一方で、いつも自分が誰かに見張られているような気がする。彼はいよいよロンドン中を歩き回るようになった。

そんなとき、倫敦塔を訪れたナツメは偶然キャスリーン・アドラー嬢に出会った。たぐい稀《まれ》なキャスリーン嬢の美に魅せられたナツメは〝二度目の偶然〟を求めてロンドン中を歩き回り、ついに彼女の姿を自転車屋の店先に見つけたとき、思い切って声をかけた。そして、キャスリーン嬢が自転車を通じて日本に興味を示したことで、一縷《いちる》の可能性を夢見るようになったのだ。

ナツメが〝素敵に高い〟花を買ったのも、おそらく彼女に贈るためだろう。しかしナツメは日本政府から派遣された、国家の責任を背負った留学生だ。彼の自我は理性と情熱の間《はざま》に引き裂かれた。彼はこのころから、いつも誰かに追われている気がしたり、後ろから襲われる強迫観念に取り憑《つ》かれているようだが、これはひとつには自分の行動に対する罪悪感の表れではあるまいか？　ナツメの思考は自分自身の背中を追いかけて同じ場所を堂々巡りし、その結果行き着いたのが、自分をシャーロック・ホームズだと思い込む妄想だった……。

と、そう考えてきて、私は妙な気がした。なんだか大事な点を見落としている気がしたのだ。テーブルの上に手を伸ばし、自分が取り上げたものに気づいて、思わず苦笑を漏らした。私が取り上げたのは、日本語の写しの方であった。そのままなんの気なしに、意味も分からぬまま、ぱらぱらと紙をめくっていたが、ふとある箇所に目が吸い寄せられた。日本語で書かれた日記の余白に、細かい文字で、同じ言葉がたくさん書いてある。

〝ストレイ・シープ（stray sheep）〟

迷い羊。そう読める。英語に翻訳した方には、そんなものは見えないから、翻訳者は意味のない落書きだと思ったのだろう。

私はなぜか興味をひかれ、椅子に座り直して、日本語の写しに改めて目を通すことにした。ほかにもなにか、訳し落としたものがないか調べようと思ったのだ。

日本の文字は、しかし私にはまるで、数年前ホームズが見事に解明したあの世にも奇妙な人形の暗号（註『踊る人形』参照）と変わらぬように見えた。無論、意味など私にはさっぱり分からない。私はそれでも、暗号を解くつもりでじっと文字を眺め続け、ついに紙の上で文字が旗を振り、踊り始めたころになって、ふいに肩を叩《たた》かれた。

「何をやっているんだい？」

振り返ると、いつの間に部屋に入ってきたのか、フロックを着たナツメがすぐ後ろに立っていた。私は慌ててテーブルの上の書類を片づけた。

「なんでもないさ。ちょっと調べ物をね」

ナツメは疑わしそうに目を細めたが、私が立ち上がるとすっかり忘れた様子で尋ねた。

「ワトスン君、いま暇だろうね？」

「暇でもないが、たいして忙しいこともない」

「じゃあ、一緒に出るさ」

「また散歩かい？」

「いやならいいんだぜ」

「いやじゃないさ。それに、僕もちょうど散歩に出ようと思っていたところだ」

私はナツメの背中を押すようにして、部屋をあとにした。

ナツメは相変わらず、ステッキを振り回しながらせかせかと歩き、そしてよく喋《しゃべ》った。

「あれから俳句は作ってみたかい？　なに、作らないって。そりゃワトスン君、きみが詩心を欠いているのは僕も知っているがね。しかしまあ、何ごとも努力次第だ。何がうまくいくか分からないさ。実際、このあいだきみが作った句は悪くなかったよ。あの句を、今度の句会で僕の作として発表してもいいかい？　駄目だって。ふん、ばかだな。冗談に決まっているじゃないか。僕がそんなことをするものか」

ナツメはそう言って「ははは」と声に出して笑い、ふと足を止めて、ついでのように尋ねた。

「ところでワトスン君、きみは pity's akin to love という言葉を知っているかい」

「〝哀れみは愛に似ている〟？　この言葉がどうかしたのかい？」

「この言葉は真実を表したものだろうか？」

私はおやと思った。ナツメの声は、思いのほか真面目な調子であった。ナツメはひどく真剣な、思い詰めた顔をしている。返事に迷っていると、ナツメは空を見上げ、呟《つぶや》くように言った。

「ストレイ・シープ……。迷い羊か……」

私は顔を上げて、ナツメの視線を追った。雲が羊の形をしていた。

ちょうど前方の教会《チャーチ》の戸が開いて、たくさんの人が吐き出されてきた。運悪く、祈禱《きとう》が終わる時間にぶつかったものらしい。私とナツメは、教会から出てきた人込みのなかで、川の流れに立つ棒杭《ぼうぐい》のようにつっ立っていた。

群衆のあいだから、顔を黒いベールで覆い、喪服のような黒い服を着た、背の高い一婦人が、私たちに近づいてきた。

「こんにちは、ナツメさん。……それともシャーロック・ホームズさんとお呼びすべきかしら？」とベールを上げ、にこりと笑ったのは、誰あろう、かのキャスリーン・アドラー嬢であった。

「お散歩ですの？」

ナツメは真っ赤になって、もごもごと口ごもっている。

「よい天気ですものね」キャスリーン嬢が空を見上げて言った。

「よい天気です。まったくよい天気ですとも！」

ナツメは、今度はいやに勢い込んで相槌《あいづち》を打った。これが〝日本晴れを拝ませてやりたいものだ〟と皮肉な調子で日記に書いた当人とはとても思えない。

「そうだわナツメさん」キャスリーン嬢が言った。「今度一緒に自転車で遠乗りに行きませんこと？」

「自転車で、遠乗り、ですか……」

「それともナツメさんは勉強がお忙しいのかしら？」

「いえ、勉強なぞはどうでもいいんですが……」

「作家のヘンリ・ジェイムズ氏はご存じ？」

「ええ……まあ」

「先日、雑誌にヘンリ・ジェイムズ氏が、女性筆記記者とサイクリングをした記事が載っていましたわ。ナツメさん、お読みになりまして？　まだなら、こんどお貸ししますわね。楽しそうな様子が伝わってくるよい記事でしたわよ。そうね、遠くは駄目でも、もっと近くの……そうだわ、ウィンブルドン辺りはいかが？　今度の日曜日はお暇かしら？」

「そりゃあもう暇ですとも。暇は暇ですが、しかし……」

「じゃあ決まりね。今度の日曜日、楽しみにしていますわ」

キャスリーン嬢はそう言って、またベールで顔を覆った。私はふと思いついて彼女に尋ねた。

「あなたは平気なのですか？　つまり、最近のイギリス婦人のなかには、外国人と一緒にいるところを見られるのを嫌がる人もいるようですが？」

キャスリーン嬢は、一瞬奇妙な間があいたあと、呆《あき》れるほどきっぱりとした声でこう言った。

「わたしは、人種や肌の色など少しも気にしませんわ」

キャスリーン嬢が踵《きびす》を返し、すたすたと歩み去る姿を見送ったあと、ナツメがようやく口を開いた。

「やれやれ、ワトスン君。すっかり彼女に嫌われてしまったようだね。つまらないことを言うからだよ」

見ればナツメはにやにやと、顔一杯に笑みを浮かべている。

「さて、こうしちゃいられない」とナツメは、手に持ったステッキをくるりとひとつ回して尋ねた。「ところでワトスン君、きみは自転車に乗れるかい？」

「そりゃ一応はね。なぜだい？」

「それじゃ、ここはひとつきみにご指南願うとするかな」

「指南って……まさかきみ……？」

「うん。僕はまだ、自転車というやつに一度も乗ったことがないんだ」

私はナツメを自転車屋へ連れていった。

「初めて乗るんだったら、この辺りの自転車がよかろう」と私が勧めた小型の自転車を一《いち》瞥《べつ》して、ナツメは顔をしかめた。

「冗談じゃない、ワトスン君。これは女性用じゃないか」

「練習にはこの型がいちばんんだ」

「多少なりとはいえ鼻下にひげを蓄えた男子が、女性用の自転車に乗れるものか。情けない。いくら練習だからって、普通のやつにするさ」

「しかし、はじめはきっと落ちるぜ」

「落ちたってかまわない。やっぱり当たり前のやつにするさ」

ナツメはそう言って、店の隅から埃《ほこり》だらけの古自転車を一台、自分で見つけて引っ張り出してきた。

「随分と古いのを見つけてきたね」

「コーボー筆を択《えら》ばず、況《いわ》んや古自転車をや、だ」

コーボーとは何か分からなかったが、どうせまた東洋の偏屈男のことだろうと思って尋ねなかった。その代わり、自転車を点検して言った。

「錆《さび》がひどいし、油もきれている」

「錆は落ちるし、油は差せばいい。そう軽蔑《けいべつ》したものでもないさ。それに、どうせあちこちぶつかるんだろう？　新品を買う必要はあるまい」

ナツメはそう言ってさっさと店のおやじに払いを済ませ、自転車を表に引き出した。

「どこで練習するつもりだい？」私が尋ねた。

「きみに任せるよ」とナツメはちょっと考えて言った。「ただし、なるたけ人の通らない、道の悪くない、落ちても人の笑わないところにしてくれたまえ」

任せると言ったわりには、なかなか注文がうるさい。私は少し考えて、クラパム・コモン公園での練習を提案した。

公園まで自転車を押して行くだけで大騒ぎだった。なにしろ、小柄なナツメには、やはり普通サイズの自転車は大きすぎた。彼はハンドルを支えかね、どうかすると自転車はふらふらとあらぬ方向に進み始める。自転車を押さえようとしたナツメは、一度ならずハンドルでしたたか内股《うちもも》を打ちつけて道端にうずくまった。

「なるほど」ナツメは青い顔で立ち上がって言った。「経験に勝る教師なしとはよく言ったものだ。……ワトスン君、僕は理解したよ。ハンドルというやつは、もっとも危険な存在だとね」

ようやく公園に着いたときには、すでに私たちは二人とも大汗をかいていた。

「さあ、ここで乗ってみたまえ」私は額の汗を拭《ぬぐ》って言った。

「乗ってみたまえとは、また冷たい言葉だね」ナツメは情けない顔で振り返った。「とても長年の友人とは思えない。ほかになにか言うべき言葉はないのかい?」

私は無言で両手を広げてみせた。ナツメはまだしばらく、なにかぶつぶつと口のなかで呟《つぶや》いていたが、やがて決然とした様子で自転車に打ちまたがった。と思う間もなく、反対側に転げ落ちた。そのあとも乗るそばから落ちる。また落ちる。およそ自転車の上に留《とど》まるということがない。私はさすがに見かねて声をかけた。

「はじめから腰を据えようなどというのが間違っているんだ。ペダルに足をかけてはだめだよ。ただしがみついて車輪が一回転でもすれば上出来と思うんだね」

ところが、ナツメがいくらしがみついてみても、やはり車輪は半回転もしない。ナツメはとうとう地面にひっくり返り、天を仰いでため息をついた。

「ワトスン君、僕はもう駄目だ。万事休すだ。僕が亡きあとは、きみにすべて任せる。よろしく頼んだよ」

ナツメはそう言うあいだも、ちらちらと私の方を横目で見ている。ナツメにとって、キャスリーン嬢との遠乗りはそう易々《やすやす》と諦《あきら》められるものではないのだ。私は苦笑しながらナツメに近づき、自転車を支えてやった。

「さあ、僕がこうしてしっかり押さえているから、乗りたまえ」

「ありがたい。それでこそ友人というものだ」

ナツメは目を輝かせて、地面から跳び起きた。

それからが、またひと騒動だった。

「おっと、そうまともに乗ってはひっくり返るよ。そら見たまえ膝《ひざ》を打ったろう、今度はそーっと尻《しり》を掛けて、両手でここを握って。よしいいぞ、僕が前へ押し出すからその勢いで駆け出すんだ。それ、それ」

と、ここまでの苦労も、結局は押し出した瞬間にナツメの顔を勢いよく砂地に突っ込ませるだけの準備にすぎないことがたちまち判明した。

「大丈夫かい？」

声をかけるとナツメはすぐに起き上がった。彼は顔半分を砂だらけにしながら言った。

「もういっぺん頼むよ、ワトスン君。今度はもうちょっと強く押してくれたまえ。……何、また落ちる？　落ちたってかまうものか。僕の身体だ」

たいしたもので、そのうちにナツメは、曲がりなりにも、どうにかこうにか自転車の上に留まることができるようになった。

「さあ、これでよし。ワトスン君、次は往来だ」

「まだ早いよ。もう少しここで練習してからの方がよいと思うがね」

「早いものか。日曜にはウィンブルドンまで自転車に乗らなくちゃならないんだ。いやしくも文明の教育を受けた紳士が、婦人に対する尊敬を失っては生涯の不面目になる。うかうかしてはいられないさ」

「しかし、きみのはまだ自転車に乗ったとはいえないのだがね」

「おや、なぜ？」

「なぜって……。きみはまだ、僕が押し出した自転車につかまっているだけで、ペダルをこぐことはおろか、一度もサドルに腰をおろしてさえいないじゃないか」

「なあに、そんなことはじきに覚える。それより自転車の上に留まることの方が重要だ。そのためには往来で実地に練習するに限るさ」

ナツメはそう言って、自転車を押して、よたよたと往来に出て行った。

公園の周囲には幸い、両側に閑静な住宅が並ぶ、ゆるい坂道が続いている。坂の上に立ったナツメは自転車を抱え、思い詰めた顔で真っすぐに下る道のはてをのぞき見た。

「ワトスン君、これはまた随分と急な坂だね」

「そんなことはあるまい」

「あたかも絶壁のようだ」

「じゃ、やめるかい？」

「やるさ。きみはちょっと先に行って、人の通らない、馬車の通わない時機を教えてくれたまえ」

私は言われたとおり、坂の下に行って時機を計らった。

「さあ今だ。早く乗りたまえ！」

私の合図とともにナツメは自転車にまたがった。自転車がよろよろと走り出す。なるほどここなら、ナツメがペダルをこがなくても、車輪はやがて地球の引力に引かれて転がり始める。ナツメを乗せた自転車は、人もよけず、馬もよけず、犬もよけず、ひたすら坂の下に向かって驀進《ばくしん》する。窓から様子を見ていたのだろう、ナツメが通り過ぎるとき、一軒の屋敷の中から拍手が聞こえた。だが、ナツメは無論それどころではなく、真っ青な顔で自転車にしがみついている。

坂の半ば辺りまで来たところで、予期せぬ事態が生じた。横道からひょいと女学生の一団が現れたのだ。あっと声を上げたが間に合わない。ぶつかった、と思い、伏せた目を恐る恐る上げると、ナツメは奇跡的に女学生のあいだをすり抜け、自転車はなお倒れもせずに進んでいる。ほっとひと息つく間もなく、ナツメの乗った自転車は、今度は真っすぐに私に向かって突進してきた。私は慌てて逃げ出した。背後でナツメがなにか大声で叫んでいる。と、たちまち自転車が私の傍らをすり抜け、歩道に乗り上げ、それでも止まらず、板塀にぶつかって、ふらふらと八ヤードばかりも後ろ向きに走り、最後はがしゃんと派手な音を立てて、ようやく道に倒れた。慌てて駆け寄ると、ナツメはすっかり目を回して、敷石の上に伸びていた。

そこへ制服を着た巡査が現れた。巡査は仰向けにひっくり返ったナツメをのぞき込み、にやにやと笑いながら尋ねた。

「だいぶん、ご苦労なさっているようですな」

ナツメは目をぱちくりさせて巡査を見上げ、やっとのことでひと言こう答えた。

「イエス」

# 10　レディたちの証言

「ワトスン君、どうやら依頼人らしいぜ」

ベーカー街二二一Bの窓際に立ったナツメは、半ば押し下げたブラインドのあいだから、今まで口にしていたパイプで往来を指し示した。彼の肩ごしにのぞき込むと、ちょうど家の前に止まった四輪馬車から、黒いベールで顔を覆った一人の婦人が降りるところであった。

婦人は往来からちらちらとこちらを見上げ、扉の前に立つと、すぐに呼び鈴が短く二度、私がこれまでに聞いたことがないほどの激しい勢いで鳴り響いた。そして、三度目の途中で突然ぷつりと途切れた。呼び鈴の紐《ひも》が引きちぎれたようである。

私たちが呆気《あっけ》に取られて顔を見合わせていると、かつかつという硬い足音が階段を上り、廊下を近づき、たちまちドアが勢いよく押し開けられた。

「どういうことですの！」

開口一番、金切り声を上げ、ベールをかなぐり捨てたのは、驚いたことにレディ・リリー・オズボーンであった。だが、最初の驚きは、彼女がそのあと口にした言葉によって、たちまちどこか隅の方へと追いやられた。

「警察は霊媒師殺しの一件でうちの人を疑っていますのよ。ばかばかしいったらありゃしない。すぐになんとかしてくださいな！」

私は戸口に立ったままのオズボーン夫人を中に招き入れ、ドアを閉め、彼女にひじ掛け椅子を勧めた。

「ロバート卿《きょう》が警察に疑われているというのは、本当の話ですか？」

「本当もなにも、さっきも宅にあの失礼な警部がやってきて、主人からさんざん事情を聴いていったところですわ」オズボーン夫人は相変らずつっけんどんな調子で言った。

「警察はたしか、行方をくらましたエミリー・ホワイト嬢を疑っていると思っていましたが？」

「あのアイルランド娘なら捕まったそうですわよ」

「え、いつです？」

「知りません。さっき警部がそんなことを言っていましたわ」

「容疑者を捕まえたのに、改めてロバート卿を疑うとは妙な話ですね」

「なんでも、あの娘が犯人じゃないという証拠が……」

「証拠が出たんですか？」

「どうでしょう？　主人を疑うんだからそうじゃありませんこと」

「じゃあ、その件はあとでレストレード警部に聞いてみましょう」

「はじめからそうしてくださいな」

「警察はなぜロバート卿を疑っているんです？　例えば動機については、何か言っていましたか？」

「動機なら、お金に決まってますわ」

「裕福な人物が、ささいな金銭を目的に人を殺すはずがない。いくら警察でもそんなばかげたことは考えないでしょう」

「あら、誰が裕福ですの？」

「ですから、ロバート卿が」

「まさか」

「違うのですか？」

「ええ」とオズボーン夫人は澄ました顔をしている。

「どうもおっしゃることがよく分かりませんね」私は首を傾げて尋ねた。「ロバート卿には代々受け継がれてきた広大な領地がおありのはずです。ロバート卿は無類の芝居好きとして、また劇団一座の気前のよいパトロンとして有名ですし、それに……そうだ、卿は、社会主義の精神に共鳴して、いつか労働者のための演劇学校をつくりたいともおっしゃっていた。裕福でなければ、とてもそんなことはできません」

「だから、ですわ」

「というと？」

「いいですこと。領地からの上がりなんてものは、その土地に住んでいればこそ裕福な暮らしもできましょうが、ここロンドンに住んでいたんではとても駄目ですわ。……もちろん――演劇学校なんて絵空ごとは別にすれば――劇団にかかる費用などたいしたことはありませんのよ。けれど、この御時世、何ごとも現金、現金でしょ。来年の収穫なんて、誰も欲しがりませんもの。そこで、うちの主人は現金を得るために、人に勧められて株に手を出しましたのよ」

「ほう。株にね」

「南アフリカ株ですわ。一時は大儲《おおもう》けしましたのよ。ご存じでしょう？　金、それにダイヤモンド。あのころ主人は、南アフリカの株に投資することは道端に落ちている現金を拾うのと同じように考えていたのですわ。ところが、ここにきて南アフリカ株が大暴落しましたでしょ。今じゃ、うちの人には自分の資産などほとんどありませんのよ」

「おかしいですね。私は最近も、あなたが教会に多額の寄付をなさったという新聞記事を目にしましたが？」

「わたくしたち、お互いの資産は別々に管理しておりますの。教会に寄付したのは、わたくしのお金ですわ」夫人は軽く肩をすくめて言った。「あれほど手痛い思いをしたというのに、うちの人はまだ懲《こ》りずにいるのですのよ。ほら、あなたとお会いした、このあいだの降霊会。あれだって、わたくしは嫌だと言ったのに、うちの人に無理やり連れていかれましたのよ。……あの手の会はたいていはインチキだと知っていましたし、それに、たとえインチキだと分かっていても、幼くして病気で死んだ子供のことを思い出すのは、母親には辛《つら》いことですからね」

「しかし、ロバート卿は、あなたに無理やり連れられてきたと言っていましたが……」

「そのことなら、ええ、もちろん知っていましたわ」

「知っていた？」

「あの会が始まる前、うちの人は、自分の本当の目的がほかの人に知られないよう、必死になってごまかしてましたものね。主人があなた方に話しているのを聞いて、わたくし、おかしくて、おかしくて。とても近くには寄れませんでしたわ。なにしろうちの人は、あのあとこっそり、どの株を買えばいいか、霊媒師にお告げをお願いしようとしていたんですもの。近くにいたら、きっと吹き出してしまっていましたわ」

これを聞いて、私はわけが分からなくなった。あのとき、彼女が一人離れて、取り澄ましているように見えたのは、そんな理由があったというのか？　しかし……。

私は思い切って疑問をぶつけてみた。

「ジャイルズという名前に心当たりはありませんか？」

「ジャイルズ？」オズボーン夫人は首を傾げた。

「あの日、ロバート卿はジャイルズという男からの手紙をひどく気にしておられました。卿は警察に尋ねられて『ジャイルズはかかりつけの歯医者だ』と、また『手紙は治療に来るよう催促したものだ』と苦しい嘘までつかれたのです」

「それなら嘘じゃありませんわ。ジャイルズは、本当に主人のかかりつけの歯医者ですもの」

「そんなはずはありません。なにしろ卿は自ら、自分の言葉が嘘だとお認めになったのですからね」

「だったら、嘘というのは、あとの方ですわ」

「あとの方、というと?」

「主人が歯を痛くしたのは去年のことです。手紙は、治療ではなく、滞っている支払いを催促したものですわ」

どうやら〝ジャイルズは、オズボーン夫人の浮気相手ではないか?〟という私の――いささか不謹慎な――推理は、やはりとんだ的はずれであったらしい。

「それではあなたは、本当にロバート卿のことを心配して、ここに来られたのですね」

「当たり前ですわ。なぜそのようなことをお聞きになるのです?」

「私はてっきり、あなた方お二人は仲がお悪いのだと思っていました」

「誰と、誰が、なんですって?」

「誤解ならお詫《わ》びします。降霊会のあったあの日、あなたとロバート卿はお互いにきつい言葉でやり取りしておられた。私には、あなた方が喧嘩《けんか》をしているようにしか見えなかったのです」

「わたくしたちが? 喧嘩をしていたですって!」夫人は目を丸くして驚いた。「いいえ、わたくしどもは結婚してこのかた、喧嘩など一度もしたことはございませんのよ。あの日わたくしたちが喧嘩を？　とんでもありませんわ。あの日だって、わたくしたちは普段どおり、仲よくしていたはずですわ」

「しかし、あの日あなた方は……まあ……そうですか」

夫婦の仲というものは、はたから見ただけでは分からないものだ。私は改めて尋ねた。

「私にはよく分からないのですが、ロバート卿の社会主義への共感と、あなたの慈善活動への情熱が、どうしたらひとつ屋根の下でうまくやっていけるのです？　例えばあの日、ロバート卿は〝宗教は民衆の阿片《アヘン》だ〟などとさんざんに言っておいでだった。ご主人はかねがね、あなたのキリスト教的な慈善活動に対して文句を言っておられるのではないですか？」

「そりゃあの人は、口ではいつもそんなことを言っていますわよ」夫人はちょっと肩をすくめた。「けれど、あなた、考えてもごらんなさいな。あの人のいう理想社会と、わたくしどもの天国にどんな違いがあるんですの？　わたくし、主人に何度聞かされても、社会主義とやらの主張が、教会の教えとどこが違うのかよく分かりませんのよ。だからわたくし、最近じゃこう思うことにしていますの。〝わたくしたち夫婦は、同じ場所を、別の名前で呼んでいるだけだ〟とね。同じ場所を目指しているのだとしたら、どうして喧嘩をする必要がありましょう。……問題があるとしたら、むしろもうひとつの方ですわ」

「もうひとつの方？」

「そうですとも。芝居好きは勝手ですが、おかげで普段から芝居がかった変な言葉遣いをして、そのせいで警部の質問にも持って回った答え方しかできないんですもの。まったく、うちの人も悪いのですわ。警察から質問されて〝人を殺《あや》める、なんというむごたらしさ。わけても、かほど非道、無慚《むざん》な罪がまたとあろうか〟だの〝犯罪に口はない。しかしそれは不思議な器官をもって喋《しゃべ》ろうとする〟だのと、そんな答え方をする人がほかにありまして？　そのうえ〝レディ・マクベス〟だなんて……」

「その話も出たのですか？」

「ええ。警部がわたくしに『霊媒師の末期の言葉をなんと聞きましたか？』とお尋ねでしたから、わたくしは『はっきりとは分からなかったが、レディなんとかと言ったようだ』と答えましたわ。べつに隠す必要もありませんもの。それなのに、うちの人ったら『霊媒師は〝レディ・マクベス〟と言って死んだ』だなんて言い張って。おそらく、わたくしに少しの疑いでもかけられるのが嫌だったのでしょうが……」と一瞬夫人の頰に初めてやさしい笑みがちらりと浮かび、またすぐにもとの冷ややかな調子に戻って言った。「そんな芝居がかったことをしているから、自分が真っ先に疑われるんですわ」

「すると、レストレード君はほかにも何か具体的なことを言ったのですか」

「なんでも、主人の最近の行動にはいささか不審な点があると」

「どういうことです？」

「警部は、うちの人が真夜中に倫敦塔に出入りしている姿を見た者があると、そんなことを言っていましたわ」

「まさか？　それについてロバート卿《きょう》はなんとおっしゃっているのです？」

「それが、おかしいのですわ。この件になると、うちの人はなぜか急に頑固になって『警察には関係ない。わしはリアリズム演劇を追求していただけだ』と繰り返すだけですの。あとは頑として口を閉ざし、なんとしても答えようとしないんですのよ。わたくしにさえ事情を教えてくれないなんて、結婚以来初めてのことですわ。わたくし、すっかり困ってしまって……」

「それで、すぐここに来られたわけですね」

「いいえ。はじめは警視庁《スコットランド・ヤード》に、詳しい話を聞こうと思って行ったのですが、行ってみて、あんな汚いところとは知りませんでしたわ」

「なるほど。それで腹を立てていらっしゃったわけですか」

「わたくしが腹を立てていたと、よくお分かりになりましたこと」

おかげで私は、かねてより言ってみたかった台詞《せりふ》を口にすることができた。

「初歩的な推理ですよ」

私は、彼女の代わりに警視庁に行って詳しい話を聞いてくることを約束した。レディ・リリー・オズボーンはベールを下ろして椅子から立ち上がり、私と握手を交わし、扉を振り返って、そこで初めて部屋の隅のナツメの存在に気がついたらしかった。

「おや、あなたはたしか……」

ナツメは夫人に近づき、手を差し出して、もったいぶった口調で言った。「私が事件を引き受けたからには、もうご安心ください。すぐに吉報をお届けできると思いますよ」

オズボーン夫人はナツメに手を握られながら、呆気《あっけ》に取られた様子で肩ごしに私を振り返った。私としては、軽く頭をひねるようにして、彼女に謝るしかない。オズボーン夫人はしかし、すぐに事情を呑《の》み込んだらしく、ナツメに声をかけた。

「お噂はお伺いいたしましたわ。あなたは大変な勉強家なんだそうですね」

「なに、最近は勉強というほどのものはしていません。近ごろは人に勧められて自転車を始めたものですから、朝から晩までそればかりやっています」

「自転車は面白うございますものね。宅ではみんな乗りますのよ。あなたもやっぱり遠乗りをなさいますの?」

この質問に、ナツメはぐうと唸《うな》った。じつを言えば、まだ大通りに出られるほどの腕前でもない。

「遠乗りというほどのことはまだしませんが……」とナツメは私の顔をちらちらと窺《うかが》いながら言った。「坂の上から下の方へ勢いよく乗りおろすときなんぞは、すこぶる愉快ですね」

レディ・リリー・オズボーンを乗せた馬車が軽やかな車輪の音を立てて帰っていくと、ナツメは自転車の練習を休むわけにはいかないということなので、私は一人、タクシー馬車を駆ってヴィクトリア河岸にある警視庁を訪れることにした。

幸いなことに、馬車を降りてすぐ、門のところで見覚えのある茶色の服を見かけた。私はすかさず声をかけた。

「やあ、レストレード君。捜査は順調のようだね」

「これはドクター。わざわざお越しとは珍しい。今日はお一人ですか?」

「うん、一人だ。ところで、エミリー・ホワイト嬢が捕まったそうだね?」

「ホワイト嬢? ああ、例のいかがわしいアイルランド娘のことですね。彼女なら、ええ、捕まえるのは、捕まえたのですが……」

「彼女はなんと言っているんだ? 例のインチキ霊媒師を殺したのは、本当に彼女だったのかい?」

「それがですね」と警部はちょっと眉《まゆ》をひそめた。「そうだ、あなたは彼女を直接知っているのでしたね。一度、彼女に会っていただけませんか? もしかすると、あなたになら本当のことを話すかもしれません」

私がむしろ進んで彼女に会わせてほしいくらいだと告げると、レストレード君は早速先に立って歩き出した。案内されたのは、両側にいくつもドアが並ぶ白壁の廊下であった。

「右側の三番目です」

警部は、ドアの上部についている羽目板の小窓を開けてちらりと中をのぞき、それから鍵《かぎ》を出して、閂《かんぬき》のあるドアを開けた。薄暗い部屋の奥から、はすっぱな調子の女の声が聞こえた。

「ねえ、タバコはまだなの。早く持ってきてよ」

私はレストレードを振り返り、彼が渋々頷《うなず》くのを見て、手持ちのタバコを彼女に差し入れることにした。タバコに火をつけてやりながら、相手の様子を観察した私は、声にこそ出さなかったものの、内心強い驚きを感じた。彼女が本当に、あのエミリー・ホワイト嬢なのだろうか？　長い亜麻色の髪の、顔一面にそばかすを浮かべた、頬の赤い、そして終始驚いているように目を大きく見開いていた無邪気な若い女性の面影は、しかしどこにも見つけることができなかった。目の前にあるのは、短く切った黒髪《ブルネット》と不健康そうな青白い頬、なにより目を細め、歪《ゆが》めた唇の端からタバコの煙を吐き出しているその様子は、シティでタイピストをしているという女学生上がりの小娘にはとても見えない。だが、それにもかかわらず、よくよく見れば、やはり彼女こそが、先日の降霊会で会った女性に間違いないのであった。

「私を覚えているかね？」

私の質問に、彼女はいっそう目を細め、やがてにやりと笑って言った。

「ハーイ、ドクター。お久しぶり。ロバートはお元気？　面白いお爺《じい》さんだわね、あの人。わたしに〝尼寺へ行け〟だなんて」彼女はそう言いながら、私の背後を目で探していたが、「今日はもう一人の方は一緒でないの？　ほら、例のシャーロック・ホームズさん……」と尋ねかけて、急にぷっと吹き出した。彼女はタバコをほうり出し、腹を抱えて本格的に笑い始めた。

「何がおかしいのかね？」

「何って……」彼女は笑いすぎで浮かんだ涙を拭《ぬぐ》いながらそう言ったが、また込み上げてくる笑いの発作に身をよじらせている。私は振り返ってレストレードと顔を見合わせたが、彼女がいつまでも笑いやまないので、直截《ちょくせつ》に尋ねた。

「きみが、あの老霊媒師を殺したのかね？」

笑いがぴたりとやんだ。

「どうなんだ？」

「いいえ」彼女はきっぱりと答えた。「わたしは殺していない。だいたい、わたしがなぜローラ婆さんを殺さなくちゃならないのよ？」

「それはこっちが尋ねているのだよ」

「わたしの質問に答えてくれたら、答えてあげるわ。もし答えられたら、だけど」

「きみはあの霊媒師に何か秘密を握られていたんじゃないのか？　ローラ婆さんはきみを強請《ゆす》ろうとした。それできみは彼女を殺したんだ」

彼女は私とレストレードの顔を呆《あき》れたように見比べていたが「ねえ、警部さん。この人、何言ってるの？　何も知らないの？　そう、やっぱり。困るじゃない。ちゃんと話しておいてくれないと」と、改めて私に顔を向け、かんで含めるような口調で続けた。「いいこと。ローラ婆さんとわたしは、一緒に組んであの商売をしていたの。分かる？　わたしは彼女に頼まれて、お芝居をしていたのよ。〝シティで働いている小娘に化けて降霊会を盛り上げてほしい。ほかの参加者にはくれぐれも疑われないように〟ってね。わたしは彼女に雇われていた。そのわたしが、なんだって大事な雇い主を殺さなくちゃならないの？ 今回の仕事のお金だって、まだ貰《もら》っていなかったのよ」

「芝居？ きみがローラ婆さんと組んでいただって？ まさか、そんなはずは……」

「にぶい人ねェ」彼女は小ばかにしたように笑い、いつかの声色《こわいろ》を真似て言った。「〝お父さん！ その呼び方をするのは、わたしが子供のころに死んだお父さんだけだわ〟……やれやれ。わたしのお父さんが誰なのか、知っている人がいたら教えてほしいものだわ。それに、暗闇で誰が角笛を吹いたと思っていたの？ 机がゆらゆら揺れていたのは覚えている？ いくらローラ婆さんが器用だからって、喋《しゃべ》りながら角笛を吹いたり、一人で机をあんなふうに揺らすなんてできるはずがないじゃない。そのために、わたしたちはわざわざ机の向かい側に座っていたのよ。……そんなこともお気づきにならなくって？」

「種明かしをしてくれて、どうもありがとう」私はやっとのことで言った。

「どういたしまして」

「きみが霊媒師を殺したんじゃないのなら」と私は気を取り直して尋ねた。「きみはなぜあの場所から慌てて逃げ出さなくちゃならなかったんだ？」

「疑われるからに決まっているでしょ」

「逃げ出したりすると、もっと疑われると思うのだがね」私は言った。「偽名を使ったり、芝居をして強請《ゆすり》の手伝いをしていたのはよくないが、それならそうと正直に言えばよかったんだ。前科があることもね」

「本当になんにも分かってはいないのね。わたしが疑われるのは、前科や、偽名や、強請の手伝いをしたからなんかじゃない。わたしがアイルランド人だからよ」

「そんなことはあるまい。警察は公平だよ」

「そりゃ、あなたにはお分かりにはならないでしょうよ、ドクター・ワトスン」彼女は唇の端をねじ曲げるようにして言った。「あなたたちイギリス人は、わたしがアイルランド人だという理由で、わたしを疑っているのよ。わたしはこれまで何度も警察に捕まった。おかげですっかり分かったわ。あなたたちがどんな目でわたしたちアイルランド人を見ているのか。あなたたちイギリス人は、わたしたちアイルランド人がイギリス人でないから罪を犯すと思っている。あなたたちはアイルランド人を、いいえ、すべての非イギリス人を嫌っている。あなたたちは、彼らがイギリス人ではないという理由で憎んでいるのよ。……わたしは、きっとこのまま身に覚えのないローラ婆さん殺しの罪を着せられるんだわ。わたしがアイルランド人だから。かわいそうなわたし」

「つまらない御託《ごたく》はそれくらいにしないか」とレストレードが厳しい調子で口を挟んだ。

「もう一度尋ねる。正直に答えるんだ。お前があのゴム管に青酸カリを塗ったのだな？　いや、否定しても駄目だ。青酸カリが塗られていたゴム管のくわえ口は、椿の造花のあいだに巧みに隠されていた。そして、事前にあの管の存在を知っていたのは、お前が今自分で白状したとおり、一緒にあのインチキ降霊会を仕組んだ共犯者——つまり、お前しかいないんだよ」

「何度尋ねられても同じよ。わたしは、ゴム管のくわえ口に毒なんか塗っていません。だいいち、ローラ婆さんがネタを仕込んでいるあいだ、わたしはほかの降霊会参加者と一緒に続きの間で待っていて、あの部屋には入っていないのよ。ねえ、ドクター。あなたからもこの頭の悪い警部に何か言ってやってくださいな。この人ったら、何度も同じことをわたしに尋ねるんですのよ」

「確かに」と私は苦笑して言った。「私が知る限り、彼女は私たちとずっと一緒にいた。犯行が行われた部屋には、一度も入っていない」

「ほらね」偽のエミリー嬢は勝ち誇ったようにレストレードに言った。

「今度は私の質問に答えてくれないかな」私が改めて尋ねた。「きみはローラ婆さんと以前から知り合いだった。とするときみなら、あのインチキ霊媒師が死んだとき、彼女が末期に何を言い残したのか分かったんじゃないのかい？」

「そんなことが何か事件に関係あるのかしら」

「もちろんだとも。私は、もしかすると被害者は最期に犯人の名前を言い残したんじゃないかと期待しているのだよ」

「それじゃ、あなたは本当にあれが分からなかったの？」

「え、きみは分かったのか？」

「分かったわよ。当たり前じゃない」

「なんだってそれを今まで黙っていたんだ！」レストレードがわめいた。

「聞かれなかったからに決まっているでしょ。黙ってよ。わたしは今おやさしいドクターと話しているんですからね。タバコもくれないケチ野郎が口を挟まないでよ」

「それで、ローラ婆さんはなんと言ったんだい？」私が尋ねた。

「ああ？　そうだったわね。でも、おあいにくさま。人の名前じゃなかったわ。ローラ婆さんは、最期に〝レディ・スミス〟と言って息を引き取ったのよ」

私がポカンとした顔をしていると、彼女はくすくすと笑いながら言った。

「南アフリカの地名じゃない」

レストレードは急に難しい顔になって、私をドアの外に連れ出した。そして、扉に鍵《かぎ》をかけ、振り返って、低い声で言った。

「彼女は犯人ではありません」

「私には、彼女がいよいよ怪しいように思えてきたがね」

「なるほど彼女は怪しい。私に言わせれば、クズのような人間です。ここを出たら、どうせ、すぐにまた、ろくでもない犯罪をしでかすに決まっている。……しかし、今回の霊媒師殺しの一件に関して言えば、やはり彼女は犯人ではありません」

「なぜそんなことが断言できるんだい」

「これは、あなたにも伏せていたことなのですが」と警部はいくぶん後ろめたい様子で額に手をやった。「あのゴム管を詳しく調べてわかったのですが、ローラ婆さんを殺した青酸カリが塗られていたのは、管のくわえ口ではなかったのです。凶器となった毒は、管の外側にではなく、内側から発見されました」

「というと？」

「つまり、毒はあらかじめ管に塗られていたのではなく、おそらく降霊会の最中に、何者かの手によって流し込まれた可能性が高いということです。そして今のところこのことは、警察と、犯人だけが知っている事実です。そこで私は、彼女を捕まえてここに連行したあと、何度もかまをかけてみました。嘘を言っているかどうか、反応を見れば、たいてい分かるものです。ところが、どうやら彼女は本当に、どうやって管のくわえ口に毒が塗られたのかを不思議がっている。まして、毒が管の内側に付着していたことなど思いもつかない様子です。犯人であれば当然知っている事実を知らない。となれば、警察としては残念ながら〝彼女はこの事件の犯人ではない〟と結論せざるをえないのです」

「なるほど。それで、容疑がロバート卿《きょう》に移ったわけだ」私は事情を察して言った。「で、ロバート卿は？　卿にも事情を聴いたそうじゃないか。反応はどうだったんだい？」

「事情を聴いただなんてとんでもない。我々はただ、ご高説を賜ってきただけですよ」レストレードは慌てた様子で手を振った。「ロバート卿は、我々から〝霊媒師は毒殺されたらしい〟と聞くと、とたんに目を輝かせて〝毒蛇にかまれたように見えるのは見せかけで、本当は毒は耳から流し込まれたんだ〟と看破されましてね。我々がなんのことかさっぱり分からず首をひねっていると、たちまち『まだ分からんのか、この脳なしめらが。犯人は、ハムレットが父を嚙《か》み殺した毒蛇、現デンマーク国王クローディアスに決まっておろう！』と一喝されてしまいましたよ。……いやはや、貴族というのは、みんなあんなものなんですかね」

「まさか、そんなことはあるまいが……」と苦笑した私は、すぐに別のことを思いついた。「待てよ。きみはさっき『毒はあらかじめ管に塗られていたのではなく、降霊会の最中に流し込まれた』と言ったね」

「言いました。それが何か？」

「ゴム管のもう一方の口は、造花を飾った、どこか上の方に開いていたはずだ。あの降霊会では、参加者はお互いに手を……いや、正確には指をつないでいた。それなのに、誰かがあの輪から抜け出して、管に毒を注ぎ込んだなんてことはありえない。そんなことは不可能だ」

「不可能か否かは相対的な問題でしてね。あなたにとって不可能でも、きっと犯人にとっては不可能ではなかったのでしょう」

「しかし……いったいどうやったのだろう？」

「どうやったかなんてことは、犯人を捕まえたあとで、本人に聞けば分かりますよ。そんなことより、私にはもうひとつの方が気になります」

「もうひとつの方？」

「レディ・スミスですよ！　ああ、これがもっと早く分かっていたら！」とレストレードは忌ま忌ましげに舌を鳴らし、あとの言葉を呟《つぶや》くように言った。「それにしても、だとしたらローラ婆さん、今回に限ってずいぶん危険な橋を渡ったものだ」

「待て、待て。きみはまた急に何を言い出したんだ。レディ・スミスが危険な橋だって？　私にも分かるように説明してくれたまえ」

「では、あなたは本当にご存じなかったのですか？　彼女が南アフリカにいたことを。それに、戦争中、二重スパイとして働いていた疑いのあることも？」

「彼女？　二重スパイの疑い？　きみは誰のことを言っている？　まさか、私が知っている人物じゃないだろうね？」

「あなたは知っていますとも」レストレードはじっと私の顔をのぞき込み、押し殺した声で言った。「私は今や、彼女こそが今回の霊媒師殺しの犯人だったと確信しています。……そう、恥ずべき二重スパイの疑いで処刑された故ゴッドフリー・ノートン氏の義妹、キャスリーン・アドラー嬢こそがね」

# 11　魔女の正体

続けてレストレード君の口から語られた内容は、私をして真に驚愕《きょうがく》せしめるものであった。あのアイリーン・アドラーの夫にしてイギリスの有能な法律家ゴッドフリー・ノートンが、今年終結したばかりの南アフリカ戦争において敵方に捕らえられ、忌まわしき二重スパイの疑いで処刑された。のみならず、疑惑はその妻アイリーンにまで及び、厳しい取り調べの末、彼女はかの地で行方知れずになった——おそらくは死んだ——というのである。

私は呆然《ぼうぜん》として警部の言葉を聞いた。かつてヨーロッパ随一の名探偵をまんまと出し抜き、手を取り合って大陸に逃げたアイリーンと、その夫ゴッドフリー・ノートンが、その後南アフリカに渡っていたこと、また彼らがそこで法律事務所を開いて働いていたのも、私にはすべてが初耳であった。

「詳しくは知りませんが……」とレストレードは、私が思いのほか激しい衝撃を受けているのに気づくと、いささか慌てた様子となって、彼がある筋から聞いたという情報を次のように教えてくれた。

「先に南アフリカに移住したオランダ系のブーア人とイギリス植民者とのあいだに戦争が始まってからというもの、ノートンはしきりに両軍のあいだを飛び回っていましてね。何しろ彼は、かの地で長く法律事務所を開いていましたから、敵方の司令官とも顔見知りだったのです。その間、イギリス軍としては無論、彼がイギリスのために働いていると思っていました。実際ノートンは、現地オランダ側の情報をイギリスにひそかにもたらしたこともあったそうです。ところが、あるときイギリス側は妙なことに気がついた。しばしば味方の作戦機密が敵側に漏れている。それもどうやら、たまたまノートンが司令部に来たときに限って、機密が漏れているようなのです。しかし、そのときはまだ誰もが半信半疑でした。〝あのノートン氏が、まさか〟というわけです。将軍の一人などは、直接本人に、冗談めかしてそのことを尋ねたくらいでした。ところがノートンは、そのときを境にふっつりと姿を消してしまったのです。しばらく彼の行方は杳《よう》として分かりませんでした。そして——戦争終結直前のことでしたが——ノートンがレディ・スミスにおいて現地オランダ人に捕らえられたという情報が入ってきたのです。同時に、取り調べの過程で驚くべき事実が明らかになったとも。どうやらノートンは、現地オランダ人の情報をイギリス植民者に、またイギリス軍の情報を現地オランダ人に流していたらしい。つまり彼は、イギリス紳士の風上にも置けぬ、恥ずべき二重スパイだったのです。

　嫌疑は彼の家族にも及びました。彼の妻アイリーン・ノートンがイギリス軍に捕らえられ、厳しい尋問を受けた。そして、彼女は亡くなりました。彼女がなぜ、どのようにして死んだのか、詳しいことは分かりません。何しろ戦争中の話ですからね。ただ、なんでも取り調べのあいだ、彼女は毅然《きぜん》とした態度をとり続け、それが現地でも大変評判になったという話です。

また、これは戦争終結後に判明したことですが、ノートンは取り調べのあと、現地オランダ人の手によってただちに処刑されたそうです。もっとも、イギリス側に捕らえられたとしても同じことになったでしょうがね」

「それで、今の話と今回の霊媒師殺しの事件——とりわけキャスリーン・アドラー嬢とは、どこにどう関係してくるんだい？」

「彼女もまた、戦争中、南アフリカに滞在していたのです」レストレードが答えた。「イギリス、現地オランダ両軍とも、忌まわしき二重スパイが単独で行われたとは信じてはいませんでした。だからこそ、アイリーン・ノートンがイギリス側の厳しい取り調べを受けたわけですが、現地オランダ人たちはむしろゴッドフリー・ノートンの義妹、つまりキャスリーン・アドラー嬢により強い疑惑を抱いていたようです。ところが、姉アイリーンがイギリス軍の取り調べを受けているあいだに、キャスリーン・アドラーはまんまとイギリスに帰ってきていたのです」

「一人で逃げ出したというわけか」

「いいえ、二人でです」

「すると彼女には夫、もしくはそれに類する男性が、すでにいたのだね」

「そんなものがあったかどうかは知りませんが、少なくとも一緒にイギリスに来たのは別の男です。夫にするのは、まあ無理でしょう」

「おや、どういうことだい？」

「ノートン夫妻には幼い息子が一人ありましてね。キャスリーン・アドラー嬢は、この甥《おい》っ子と一緒にイギリスに帰ってきた、というわけです」

これを聞いて、私ははたと思い当たることがあった。ナツメが初めて彼女の噂をしたとき——つまりナツメがキャスリーン嬢を倫敦塔で見かけた際、彼女は傍らに七つばかりの男の子を連れていたと言ったのではなかったか。とすれば、その子こそが、姉夫婦の遺児に相違あるまい。

「想像ですが、ローラ婆さんは、南アフリカでのキャスリーン嬢の行動について何か知っていたのではないでしょうか」レストレードが言った。「とこう言っても、あながち不自然とは言えますまい。何しろ戦争終結後、南アフリカからたくさん人が帰ってきましたからね。ローラ婆さんはそのなかの誰かから話を聞き、キャスリーン嬢が、戦争中、恥ずべき二重スパイを行っていた事実を突き止めた。そこで彼女を降霊会に招き、強請《ゆすり》にかかった。〝秘密をばらされたくなかったら、口止め料をよこせ〟というわけです。ところが、それに気がついたキャスリーン嬢は、口止め料より有効と思う手段に訴えた。つまり、それが管に流し込まれた青酸カリだったというわけですよ」

「しかし、戦争はもう終わったんだぜ。過去の戦争中のスパイ容疑をばらされたくないからといって、そんなことで人を殺すものかな？」

「なにしろ金持ちってやつは醜聞《スキャンダル》を嫌いますからね。それに義兄ゴッドフリー・ノートンが現地オランダ人に捕まったのも、誰かの密告によってだったという噂ですから、彼女は必要以上に醜聞に怯《おび》えていたのかもしれません」

「さっきの疑問に戻るが、彼女はどうやって管に毒を流し入れたのだろう？」

「さあてね、その点はシャーロック・ホームズ氏でない私にはなんとも言えませんな」警部はにやにやと笑いながら言った。「もっとも、そんなことは本人に署にお越しいただき、直接尋ねればすぐに分かるでしょうよ。何しろ殺人ばかりは、いくら金持ちでも許される罪ではないですからね」

「きみはさっきもそんなことを言った。彼女はそんなに裕福なのかい？」

「おや、ご存じなかったのですか？　彼女のアメリカの実家が金鉱を持っているうえに、故ノートン夫妻が彼女に多額の遺産を残しましたからね。なんでも、ノートンの法律事務所は南アフリカでも一、二を争うほど流行《はや》っていたそうです。彼女は今や大変な資産家ですよ」

「妙な話だね」私は首を傾げた。「ゴッドフリー・ノートンは充分裕福だった。しかしそれならなぜ、彼は忌まわしい二重スパイなんか行わなくちゃならなかったんだろう？」

「質問するのはご自由ですが、誰もがすべての問いに答えをもっているわけじゃありませんよ」彼はそう言って、肩をすくめてみせた。

私がレストレードへの質問を切り上げ、警視庁から出てきたときには、外にはまた例の黄色い霧が漂い始めていた。私はタクシー馬車を探したが、近くにそれらしいものは見当たらないので、チャリング・クロス駅まで歩いていくことにした。

霧の中では、人は思索的になりがちである。それでなくとも私にはいろいろと考えることがあった。あるいは、ひどく困惑していたともいえよう。私は、レストレードから予期せぬ話を聞かされ、シャーロック・ホームズが今なお「あの女《ひと》」と尊称をもって呼ぶ唯一の女性、アイリーン・アドラーが異国で無慚《むざん》な死を遂げたことを知った。この悲しい知らせをホームズにどう伝えたらよいものか？　なるほどホームズが「あの女」、すなわちアイリーン・アドラーに対して、かつて恋愛めいた感情を抱いていたわけではないし、今となってはなおさらであろう。だいいち、彼女はむしろ、ホームズの巧妙な計画を見事に出し抜いた憎き女であり、だが、それゆえにホームズにとってはこの世で唯一の忘れがたき女性であった。その女性が、こともあろうに、夫ともども忌まわしき二重スパイの容疑で捕らえられ、亡くなったのだと知ったら……。私はこれまでも、ホームズの冷静で的確、驚くばかりの均整のとれた優れた推理家としての心性が、一方でひじょうにデリケートなものであることにたびたび気づかされてきた。おそらく彼は、顔の筋肉ひとつ動かすことなく事実を受け止めるだろう。そして、それだけに私はホームズの心中を慮《おもんぱか》って胸が痛むのであった。

私が考えなければならない問題はほかにもあった。つまり「霊媒師殺し」の一件がそれであり、考えようによっては、こちらの方が差し迫った問題ともいえよう。そこで私は、霧の中を歩みながら、未解決の謎を数え上げた。現在捕らえられている偽のエミリー嬢は本当に事件とは無関係なのだろうか？　それともレストレードの推理どおり、霊媒師を毒殺したのはキャスリーン嬢なのか？　そもそも犯罪はいかにして行われたのか？　それをいえば、事件との関係はいざしらず、ロバート卿《きょう》はなぜ深夜に倫敦塔の周囲をうろついていたのか？　という点すら、いまだ謎のままであった。

私はやれやれと苦笑した。改めて振り返ってみれば、事件は少しも真相に近づいたように思えない。私は事件以来、いったい何をやっていたのだろう。結局はナツメの自転車の練習につき合っていただけではないか？

太陽はすでにすっかり沈んで、ロンドンの街は夕闇に包まれていた。日が落ちてからは、霧がいっそう濃くなっている。私は往来に足を止めた。霧の中に足音がこだまし、道の向かい側を人が通る気配がする。けれども彼（もしくは彼女）の姿は、私には少しも見えない。そこへまた、見えない馬車が通り過ぎる。私はなぜか妙に新鮮な思いで辺りの情景を見回したが、ふとその感覚がナツメに教えられたものだと思い当たった。私はナツメの目を通じて、見慣れたはずのこのロンドンの街をまったく別のものとして眺めているのだ。私はそのことを大変面白く感じた。

一陣の強い風が吹きつけ、前方の濃い霧のベールがめくれ上がる。その瞬間、何かが私の目に飛び込んできた。目が覚めるほどに美しい紫。霧のベールがふたたび閉じられたあと、少しのあいだ、私は今目にしたものが幻に違いないと思った。霧の中をキャスリーン嬢がこちらに背中を向けて歩いていた。しかも彼女は、初めて会ったときの、あの美しい紫色の長いドレスを身にまとっていたのだ。

だが、やはりそれは幻などではなかった。あの美しい後ろ姿は見間違いようもない、前を歩いているのはキャスリーン・アドラー嬢その人であった。彼女はこの霧の中を、一人で、いったいどこへ行こうとしているのか？　私はとっさに意を決し、足音を忍ばせて彼女のあとを追った。

前を行く紫のドレスは、すぐに見つけることができた。私は彼女を見失わぬよう、少し離れてあとをつけることにした。

キャスリーン嬢は、歩くにはいささか不都合な服装にもかかわらず、タクシー馬車を雇おうとする様子もなく、ひたすら歩き続けた。一方私は、あとをつけながら、彼女にいつ気づかれるかとひやひやしていた。彼女は私の顔を知っているのだ。彼女はただ振り返りさえすればよかった。だが、彼女は途中一度も後ろを振り返らなかった。さもなければ、いくら濃い霧がうまい具合に姿を隠してくれるとはいえ、変装もせず、気づかれずにあとをつけることは不可能だっただろう。

キャスリーン嬢は急ぐ様子もなく、といって歩調を緩めることもなく、なおも歩き続ける。チャリング・クロス駅を通り過ぎ、ストランド街からライシアム劇場を先に見てフリート街……。私はそろそろ、彼女がどこまで歩くつもりなのかと訝《いぶか》り始めた。目の前は、もうシティである。彼女はやはりわき目も振らず歩き続ける。……私は意地になって彼女のあとを追った。……キャノン街から、イングランド銀行前を通って、ロンバート街……霧がいよいよ濃さを増してきた。……ライム街を左手にフェンチャーチ街を右に折れて、ミンシン小路に入ったところで——私は突然前を行くキャスリーン嬢の姿を見失った。一瞬、濃い霧が彼女を包み込み、次の瞬間にはもう、彼女の姿はまるで霧の中に溶けてしまったように忽然《こつぜん》と見えなくなってしまったのだ。私はわけが分からなかった。私は彼女が見えなくなった辺りに立ち、呆然《ぼうぜん》と周囲を見回した。見上げれば、左斜め前に巨大な黒い影が霧に包まれて蹲《うずくま》っている。私はもちろんそれが何かを知っている。

倫敦塔であった。

往来にはいつしかガス灯がともされ、それだけに人工の光の届かない場所はなおいっそう暗く思われる。私は吸い寄せられるように倫敦塔へと近づいていった。観覧時間は終了したらしく、門はすでに堅く閉ざされていた。そこで私は、塔とテムズ川のあいだを胸壁にそって進んだ。

前方に、闇を払って輝く光が見えた。近づくと、倫敦塔の番人、ビーフイーターたちが焚《た》く篝火《かがりび》の明かりであることが判明した。炎のそばからはじけるような陽気な笑い声が聞こえる。また、近づくにつれて、食欲を誘う香辛料の匂いが次第に強くなった。塔の番人たちが酒盛りをしているところに出くわしたらしい。肴《さかな》はカレー料理であろうか？

私は炎の周りを囲む幾人かの男たちの姿を認め、彼らに声をかけた。

「今晩は、皆さん。ずいぶん楽しそうですね」

ビーフィーターたちは一斉に、ぎょっとした様子で振り返った。だが、「私にもビールを一杯飲ませてください。お代は払いますから」と言って、クラウン銀貨を取り出すと、たちまち手を引くようにして、篝火のそばの特等席に案内された。

私は差し出されたグラスを受け取り、お互いの健康を祝してビールをひと口飲み、それから、すでに赤ら顔をした男たちに向かって慎重に尋ねた。

「きみたちは、塔の観覧時間が終了したあと、いつもここで、こうして楽しく一杯やっているのかい？」

「いつも、というわけにはいきませんて。まして今日のような料理がつくとなると……なあ、爺《じい》さん」

獅子鼻《ししばな》を赤くてからせた大柄な男が、そう言って隣りに座った年配の同僚を振り返った。

「ああ、そうともさ」年配の番人は目を伏せたまま頷《うなず》き、呟《つぶや》くように言った。「こんな御《ご》馳走《ちそう》はめったにありゃせん」

「それじゃ、御馳走に来合わせた私はついていたことになるな」

「まったくだ。旦那《だんな》はついていなさる。なにせ羊のカレー料理ですからね。ま、おひとつ手を伸ばしてください」

「ありがとう。遠慮なくいただくよ」私は勧められた料理を食べて言った。「なるほど、これは美味《おい》しいね。誰が作ったんだい？」

「どこの嗅《かか》がこんなものを作れますかって！」

「じゃ店で買ったのかな？　どの店か知りたいものだ」

「これは、買ってきたんでも、作ったんでもありゃしません」

「それじゃこの料理はどうしてここにあるのだろう？　まさか魔法で出したわけでもあるまい」

「魔法っていやあ、魔法みたいなものですな」

「どういうことだい？」

「それが、おかしな話でしてな」さきほどの年配の番人が言った。「わしらが仕事を終えて、ここで火を焚いていると、一人の紳士がふらりと立ち寄られましてな。このビールと、カレー料理を差し入れてくれたんですわい」

「なんだか霧の中からわいて出たような感じだったな」別の一人が言った。

「そうともさ。長外套《なががいとう》の下からビールと料理を取り出すところなんぞ、まるで魔法使いみたいだったた」

ビーフィーターたちは口々にそう言って頷き合っている。私はふと思いついて尋ねた。

「それは、もしかして、ロバート・オズボーン卿じゃなかったかな？」

塔の番人たちは一瞬顔を見合わせ、どっとばかりに吹き出した。

「旦那、そりゃありませんぜ。差し入れをしてくれたのは、瘦《や》せた、若い、男前の紳士でしたもの。いくらなんでも、あれがロバート卿だなんて……」

獅子鼻の男がそう言って仲間を見回し、彼らはまた大声で笑った。私は不思議に思って尋ねた。

「きみたちはロバート卿をよく知っているのかい？」

男たちは顔を見合わせてにやにやと笑っている。隅の方に座っていた若い男が、突然、頓狂《とんきょう》な声を上げた。

「〝それにしてもそのひげ、女とも言いかねる〟」

番人たちはまた腹を抱えて笑い始める。どうやら間違いないらしい。彼らは、ロバート卿が無類の芝居好きであることまで知っているのだ。私は声を改めて尋ねた。

「ロバート卿は深夜の倫敦塔で何をしていたのだろう？　卿の秘密とはいったいなんなのだ？　きみたちが知っていることを、どうか私に教えてほしい」

塔の番人たちは急に真面目な顔になって、一時に私の顔をのぞき込んだ。

「旦那。旦那はまさか、警察の方じゃないでしょうな？」獅子鼻の男が尋ねた。

「その反対だよ」私は慌てて言った。「ロバート卿は今、ある殺人事件の関係で警察に疑われている。私はオズボーン夫人に頼まれて、卿にかかった疑惑を晴らすべく奔走しているんだ」

男たちは困ったように顔を見合わせた。私は続けて言った。

「警察はすでに、卿が深夜に倫敦塔の周辺をうろついていたという目撃証言を得ている。

それなのにロバート卿《きょう》はなぜか、いくら警察に疑われても、倫敦塔で何をしていたのか、自分からはけっして話そうとしないんだ」

「そりゃあ、まあ、あのことをご自分ではお話しにはなれんだろうな」

獅子鼻の男が、うっかり口を滑らした。彼は、仲間の非難の視線を跳ね返すように、辺りを見回した。

「ちぇっ、いいじゃねえか。この旦那はロバート卿を警察から救おうとなさっていなさるんだ。ロバート卿だって許してくださるさ。ねえ、爺さん、あんたもそう思うだろう?」と彼は年配の番人を振り返り、相手が諦《あきら》めたように首を振るのを見て、勢いを得た様子で向き直った。

「旦那。これからお教えすることを、わしらが喋《しゃべ》ったと言ってもらっちゃ困りますよ。わしらは、なんというか……例のものをいくらか頂いて、ロバート卿に秘密を守ると約束したのですし、それにわしらとしてもちょっとした規則違反をしたことがばれると、困ったことになりかねないのでね。このことはきつくお願いできるでしょうな?」

私が神にかけて誓うと、ビーフイーターたちのあいだにようやくほっとした空気が流れた。

「ロバート卿はよく、深夜の倫敦塔に人を集めて芝居の稽古《けいこ》をしていらっしゃったんです」獅子鼻の男が言った。「芝居は『悲劇の王女ジェーン・グレーの最期』という題で、ロバート卿ご自身が脚本を書かれたものでしてね。何しろ、ええ、卿は大変な鼻息でしたよ。〝これこそがシェイクスピアを超える作品なのだ〟とおっしゃいましてね。そのためにも〝この芝居は本物の場所――つまり、王女ジェーン・グレーが処刑された倫敦塔の中で演じなければならんのだ〟と。なにせ卿は、ほら、あのとおり無類の芝居好きのうえに、妙な社会主義《ソシアリズム》とやらにかぶれていらっしゃる。おかげで、わしらのようなものにも気さくにおつき合いくださるんですが、なんでも社会主義ちゅうのはリアリズムを重視するそうですからね。わしらとしてもつい、卿の熱意に押されて、ちょっとした規則違反に目をつぶっとったちゅうわけです」

「芝居の稽古をしていただって？」私は首をひねった。「しかしそれならなぜ卿は、本当のことを話さないんだろう？　そりゃ、きみたちを買収……いや、きみたちにお願いして深夜の倫敦塔に入ったことは規則違反だろうが、それだけのことなら、あれほどかたくなに口を閉ざす必要はないはずだ」

「それだけのこと、ならね」獅子鼻の男がそう言うと、赤ら顔をした番人たちはまた顔を見合わせてうひゃうひゃと笑い出した。

「〝それにしてもそのひげ、女とも言いかねる〟」

さっきの若い男がまた、『マクベス』の台詞《せりふ》を叫んだ。

「旦那にもお見せしたかったですな」と獅子鼻の男が笑いをかみ殺すようにして言った。「いいですか旦那、ロバート卿は深夜の塔で芝居の稽古をしていらっしゃった。そのうえ卿は、主演の王女ジェーン・グレーの役をご自分で演じなさっていたんです」

「卿自らが、ジェーン・グレー役？　しかし……」

「いやはや、わしはこれまで田舎芝居もいろいろ観てきましたが、あれほど珍妙な配役は見たことがありません。なにしろ、老人の、太った、しかもひげを生やした役者が、こともあろうにイギリス史きっての才媛を演じているんですからな。目隠しをされて断頭台に連れてこられた王女ジェーン・グレー――つまり、長い金髪のかつらを頭にのっけたロバート卿が、妙な裏声で〝わたしはすべてに安らかな気持ちです。どうかこのまま死なせてください〟と喋っている場面なんぞは、まさに見せ場でしたよ。わしらのなかで、芝居をのぞきに行って笑いをこらえて帰ってきたものは、残念ながら一人もありゃしませんわい」

「すると、例の倫敦塔の魔女騒ぎは、まさか……？」

「芝居に熱が入りすぎたんでしょうな」獅子鼻の男が頬の辺りをひくひくと震わせながら言った。「そこへきて、おせっかいな野郎が〝塔の中から不気味な声が聞こえる〟なんて通報したものだから、警察が駆けつける、近所の連中が騒ぎ出すわで、一時はどうなるかと思いましたよ」

「あの日だって」と隣りの禿《は》げた男が口を挟んだ。「危ういところでわしらが気づいたからよかったものの、そうでなければロバート卿はとんだところを警察に捕まっていたでしょうよ」

「ぼくらが警察を引き留めているあいだに、裏から逃げてもらったんです」別の若い男が言った。「でも、よほど慌てていたんでしょう、すっかり片づけるというわけにはいかなかったようでしてね。だから、ほら、妙なものが残っちまったんです」

「石畳の上に飛散した藁《わら》くず！」

「血のついた斧《おの》！」

「ひと房の金髪！」

篝火《かがりび》を囲んだ塔の番人たちは口々に数え上げ、グラスを掲げ、そのたびに周りの連中が笑い崩れる。

「やれやれ」と、このばか騒ぎのなか、一人だけ真面目な顔を保っていた年配の番人が、ため息をついて呟《つぶや》いた。「男が女の役を演じるかと思えば、女が男の格好をして街を歩いておる。……妙な世の中になったものじゃて」

「女が男の格好だって！」獅子鼻《ししばな》の男が、小柄な老人の肩を勢いよくどやしつけた。「爺《じい》さん、あんたにまだ男と女の違いが分かるとはたいしたものだ。ところであんたはいつ、そんな妙な女を見かけたんだ？」

「それじゃ、お前はこの差し入れをしてくれたのは、本当におやさしい紳士だと思っていたのかい」

「おや、違ったのか。全然気づかなかったな」

「ありゃ確かに女だね。男の格好をしていただけだよ」年配の番人が言った。

「なんでそんなことが言えるんだい？」

「なぜって、襟元にぷんといい匂いがしていたものさ」年配の男は急にあくびをしながら言った。「ありゃ……そう……白ジャスミンの匂いだったよ」

男装の女性？　白ジャスミンの香り？

啞然《あぜん》として口もきけずにいた私は、突然、何ごとか思い当たった。ホームズと私はかつて、男装したアイリーンにまんまと出し抜かれたことがある。もしかすると、ビールとカレー料理を塔の番人たちに差し入れた紳士の正体は、男装したキャスリーン・アドラー嬢だったのではあるまいか？

謎の紳士の特徴を詳しく尋ねようと思い、顔を上げ、辺りを見回した私は、何が起きたのか一瞬理解ができなかった。いつの間にか、ビーフィーターたちが一人残らずその場に眠り込んでいたのだ。しかし、ついさっきまであれほど元気よく飲み、食らい、笑い転げていた男たちが、いったいどうしたというのだろう？　深い霧の中、周囲は不気味なほど静まり返り、隣りの獅子鼻の男がたてる規則正しい鼾《いびき》のほかは、ぱちぱちと篝火がはぜる音が聞こえるばかりである。

私は急にぞっとして立ち上がった。自分がなにかとんでもない罠《わな》にはまり込んでしまった気がした。

霧の中から、キャスリーン嬢が歩み出た。彼女は、鮮やかな紫色の長いドレスをまとっていた。

キャスリーン・アドラーは、私と篝火を挟んでちょうど反対側の位置にまで歩み寄り、そこで足をとめた。私は彼女の姿を見て、なぜか言い知れぬ恐怖に襲われた。

「まさかきみが？　全部、きみがやったことだったのか……」ようやく絞り出した声は、とても自分のものとは思えなかった。

「義兄《あに》は裏切られたのです」彼女は、足下に眠りこけているビーフィーターたちには目もくれず、奇妙に平板な眼差《まなざ》しを中空に据えたまま、口を開いた。

「わたしは子供のころから年の離れた姉アイリーンがとても好きだった。美人で、快活で、決断力に富む彼女はわたしの憧《あこが》れだった。アメリカに生まれた姉が、魅力的な声を生かしてコントラルト歌手となり、ヨーロッパに行き、たちまち輝かしい成功を収めたときも、わたしは少しも驚かなかった。そしてまた、姉が突然イギリス人の法律家と結婚して、南アフリカに渡ったと聞いても、わたしはやっぱりそうするのが当然だと思った。わたしは姉を尊敬していたから、彼女のすることに間違いのあるはずがないと信じていたのです。

南アフリカに行ってからも、アイリーンはときどきわたしに手紙をくれた。彼女は手紙で義兄ゴッドフリー・ノートンがいかにすばらしい人物であるかということ、また彼の行いがいかに気高いものであるかを語ってくれた。わたしは姉夫婦を誇りに思った。そして、南アフリカに行きたくて仕方がなかった。けれど、そのころはまだ健在だった父母が、幼いわたしを手元から離そうとはせず、まして遠くに旅行することなどけっして許してくれなかったのです。わたしはやがて姉に男の子が生まれたことを知りました。

学校を卒業したわたしは、ようやく念願の南アフリカの姉を訪れることができた。久しぶりに会う姉は、相変わらず美しかった。それどころか、わたしが昔知っていたころより、いっそう美しく見えた。わたしはすぐに、幸せが彼女を美しくしていることを知った。なぜなら姉は、夫ゴッドフリー・ノートンの仕事を誇りに思い、また彼と一人息子を心から愛していたのだから。……ところが、そこへあの忌まわしい戦争が始まったのです」

キャスリーン嬢はそう言ってゆっくりと頭を動かし、虚《うつ》ろな視線を私に向けた。

「義兄ははじめ、イギリス植民者の側に希望をもっていました。だからこそ、顔見知りだった現地オランダ人の司令官が漏らした軍の情報を、それとなくイギリス側に教えたこともあったのです。ところが、やがて本国から派遣されてきたイギリス軍は、現地オランダ軍を掃討するためと称して、手当たり次第、あたりかまわず木を倒し、草を薙《な》ぎ、火を放った。彼らはまるで、あの土地を永久に不毛の大地に変えてしまうつもりのようだった。

義兄はすぐにイギリス軍に抗議した。けれど、義兄の言葉はきっぱりと無視された。義兄はイギリス軍に失望した。だから義兄は現地オランダ人に味方したのです。彼らの方がまだましだったから。義兄は徹底的にそうすべきだった。それなのにイギリス人の義兄は、祖国の人間に対して最後のところで冷酷になりきれなかった。そして、彼らを助けたばかりに、裏切られることになった。義兄はイギリス人に密告されて、現地オランダ人に捕まったのです……」

ふいにキャスリーン嬢の言葉が途切れ、私は詰めていた息をようやく吐き出すことができた。

「それじゃ、ゴッドフリー・ノートンはやっぱり敵方のスパイだったのか……」

「敵方のスパイ？」キャスリーン嬢は、言葉の意味を訝《いぶか》るように、首を傾げた。「義兄は、一瞬でも敵のために働いたことなどありませんわ」

「しかし、きみは今そう言った。彼がブーア人に味方をした、と」

「義兄は、そして姉も、あの土地の人々のために働いていただけですわ」

「あの土地の人々？」

「アフリカ人のためにですわ」

キャスリーン嬢はそう言うと、ぐっと目を細め、また先を続けた。

「あなたたちは南アフリカで戦争をしながら、それがイギリス植民者と現地オランダ人のあいだの戦争だと思っている。あなた方の目には、あの場所にもともと住んでいるアフリカの人たちのことなど、少しも見えてはいない……。

だからこそ、義兄は法律家として、現地オランダ人とイギリス植民者の両方にこう訴えなければならなかった。〝この土地は、本来ここに住んでいた人たちのものだ。当然、この土地で発見された黄金もダイヤも、この土地の人たちのものだ。所有権は彼らにこそ存する。あとから来た人々は、オランダ人もイギリス人も、まずその事実を認めなければならない〟と。……けれど、義兄の言葉はほとんど顧みられなかった。それどころか、頭のおかしな者の言葉として笑いものにされた。それでも義兄は、けっして諦《あきら》めなかった。そして義兄の言葉を、姉は、少なくともアイリーンだけは、心から正しいものと信じ、応援していたのです。

わたしはあの土地にいるあいだに、姉夫婦とともに南アフリカを見て回り、本来の所有者であるべき現地の人々が、その金やダイヤモンドを掘り出すために、ごくわずかな賃金で厳しい労働に従事させられている現実をこの目で見た。あらゆる場所で彼らは、ほとんど動物のように扱われていた。そしてそれがいかに理不尽なことであるかを、義兄の言葉によって私は知ったのです。

義兄は、戦争が始まるまでは、奴隷制度を否定し、比較的穏健な政策を主張するイギリス植民者たちに働きかけ、ブーア人たちのアフリカ人への扱いを改めさせようとしていた。だからこそ義兄は、戦争が始まってからはイギリスに協力し、けれどイギリス軍がわけもなくあの土地を永久に荒廃させようとしているのを見て、すっかり失望したのです。なるほど義兄はブーア軍に協力しました。しかしそれは、あの土地とそこに住む人たちのためであり、その意味で義兄はずっと一貫した態度をとり続けていたのです。敵？　現地オランダ人に協力したことが、敵のスパイですって？　いいえ、とんでもない。そんなことは言いがかりですわ。義兄は、そして姉アイリーンもまた、ずっとアフリカとアフリカ人の味方であり、敵というならイギリス軍もブーア軍も、両方が敵だったのです」

「イギリスが敵だって！」私は思わず声を上げた。「それならきみはなぜイギリスにやってきたんだ。そして、どうしてこの国に留《とど》まっているんだ？」

「この国に来たのは、ただあの子のためですわ」キャスリーン嬢はきっぱりと言った。

「姉は、イギリス軍にいわれのないスパイの容疑で逮捕され、連れていかれる前に、わたしに一人息子を託したのです。姉が帰ってくるまで待つと強く主張したわたしに、姉は〝この子を連れてすぐに逃げるよう〟きつく言い渡しました。姉は、戦争という愚行のなかでは、か弱い女や幼い子供に対してさえ、見境のない暴力と、理不尽な死が訪れることを知っていたのです。

姉は、最後にわたしにこう言いました。〝ゴッドフリーは誰かに裏切られたのよ。裏切り者が誰なのか、わたしは今友人に頼んで調べてもらっている。あなたはイギリスにこの子を連れていって、そこでわたしからの連絡を待って。……もしわたしが行けなくても、誰かがきっと裏切り者の名前をあなたに伝えるでしょう〟と。わたしはイギリスにいて、一日千秋の思いで知らせを待っていた」

「それで、知らせはきたのか？　裏切り者は誰だったのだ？」

「あなた」キャスリーン嬢は口元にあいまいに笑みを浮かべて言った。私は目をまばたかせた。

「私？　ばかな、きみは何を言っているんだ？」

「裏切り者は、あなた」紫の女はもう一度そう言った。

にやりと笑ったその口元が真っ赤に染まり、まるで血がしたたっているように見える。大きく見開かれた彼女の目がぎらぎらと輝き、髪の毛が逆立つように天に向かって持ち上がる。女は、ゆっくりと私に向かって歩き出した。

「あなたたちは、アフリカに自分たちの文化と生活スタイルをそのまま持ち込み、彼ら独自の文化を破壊する。……あなたたちはどこに行ってもイギリス人であることをやめない。まるで小説のロビンソン・クルーソーのように。……あなたは一度でも考えたことがないの？　金もダイヤモンドも、いいえ、あの土地そのものすべてが、もともとあの場所に住んでいる彼らのものだとは？」

女はいつの間にか篝火《かがりび》を越え、私のすぐ目の前に立っていた。紫のドレスがひるがえり、白い手が私の顔に向かって伸びてくる。美しい顔が近づき、白ジャスミンの香りが私を包み込む……。

「聞きましたわよ」耳元で女の声が囁《ささや》いた。「南アフリカでのイギリス軍の行為を称賛するパンフレットを書いて、爵位をお貰《もら》いになったんですって？　身近な人間に〝ドクター……いえ、サー・アーサー・コナン・ドイル〟などとお呼ばせになって……。さぞやお得意なのでしょうね、ドクター……いえ、サー・アーサー・コナン・ドイル」

その瞬間、塔の時計が厳かに十時を打ち出した。私の肉体の内に鐘の音が鳴り響いた。それはまるで手に取って確かめられるほど、はっきりとした音だった。

# 12　倫敦塔

——気がつくと、ナツメがそばに立っていた。

慌てて周囲を見回すと、どうしたことか、ほかに一人の姿も見えない。キャスリーン嬢、それに眠りこけていたビーフイーターたちは、いつの間に姿を消したのだろう？　辺りには依然として濃い霧が立ち込め、ただ篝火だけが人気のなくなった場所に空しく明かりを投げかけている……。

ナツメが右手に持った角灯《ランタン》を私に向け、踵《きびす》を返して、無言で歩き出した。私はわけが分からず、とりあえず彼のあとについていくことにした。

ナツメは無言のまま霧深いテムズ川沿いを引き返し、倫敦塔の門へと進んだ。行ってみると、驚いたことに、さっきは堅く閉ざされていた門が開いていた。ナツメは至極当然の様子で門をくぐり、私が来るのを待っている。続いて中に入ると、ナツメが角灯を高く掲げて、門を照らした。そこには、次のような句が刻まれていた。

憂いの国に行かんとするものはこの門をくぐれ。

永劫《えいごう》の呵責《かしゃく》に遭わんとするものはこの門をくぐれ。
この門を過ぎんとするものは一切の望みを捨てよ。

ナツメは角灯を振り向けて、また先へと歩き出す。私は仕方なく彼のあとを追った。霧の中に、あたかも石油タンクのような巨大な黒い影が二つ、両側に並んで現れた。中《ミドル》塔《タワー》である。塔を連ねている建物の下をくぐる際、私はひじょうな恐怖を感じて、思わず首をすくめた。見慣れたはずの風景が妙にまがまがしく感じられるのは、辺りを包む深い霧と闇のせいだろう。ナツメがふいに口を開いた。

「僕はロンドンに来てひじょうに驚いた」彼はほとんど囁くような声で言った。「世界にこんなところがあったのかと、目を見張った。まるで御殿場《ごてんば》の兎《うさぎ》が急に日本橋の真ん中へほうり出されたような心持ちだった。それまで僕がしてきた学問は、この驚きを予防するうえにおいて、売薬ほどの効能もなかった。僕という存在を支えていた自恃《じじ》、自信などといったものは、この驚きとともにあらかた減却してしまったのだ。いったい、ロンドンでの生活が現実だとすると、僕は日本にいて、何をやってきたのだろう？　僕の今日までの生活は、現実に毫《ごう》も接触していなかったことになる。洞《ほら》ヶ峠《がとうげ》で昼寝をしていたのも同然である。僕は現実に加わることができない。僕の世界と現実の世界は、ひとつの平面に並んでいながら、どこも接触していない。僕はそのことに気がついた。現実の世界は、あたかも意地の悪い自転車のように、僕を置き去りにして進んでいく……」

私はそのとき、彼の言葉をすべて理解できたわけではない（ゴテンバの兎？　ホラガトウゲ？）。しかし私は、どうやらナツメが――シャーロック・ホームズとしてではなく――初めて彼自身の言葉で語り出したらしいことに気づいていた。

ナツメはついに妄想の闇から抜け出たのであろうか？　そして、そのことと、彼がこうして夜の倫敦塔を訪れたのは、いったいどういう関係があるのだろうか？　私はともかくしばらくは様子をみることに決め、ちょうど左手に通り過ぎた鐘塔《ベル・タワー》の上に人の動く気配を認めた。おそらく、さっき私を驚かした鐘の音は、この塔から聞こえたものであろう……。

ナツメは、相変わらず、独り言のように呟《つぶや》き続けている。

「ロンドンに着いてからの二年は、これまでの僕の生涯の中でもっとも不愉快な二年間だった。僕は英国紳士のあいだにあって、あたかも狼の群に伍《ご》する一匹のむく犬のごとく、あわれな生活を営んできた。ロンドンの人口五百万、その五百万粒の油の中で、僕は一滴の水となって辛うじて露命をつないできたのだ。いくらフロックを着て、お茶《ティー》を飲み、流《りゅう》暢《ちょう》に英語を話したところで、僕という存在は所詮《しょせん》、ロンドンにあってはけっして狼にも、油にもなれず、さりとてほかに主張するだけの何ものをも持ち合わせない、惨めな異物だった。

イギリス人のある者は、日本の進歩の急に驚く。しかし西洋人の大部分の者は驚きもせねば知りもしない。そもそも彼らは、日本、または日本人に一片の興味すら抱いていないのだ。日本のことを知らない、日本のことに興味をもっておらぬがゆえに、我々がたとえ西洋人に知られ尊敬される資格があったとしても、彼らがこれを知る時間と目がなき限りは尊敬とか恋愛とかいう関係は両方のあいだに成立しないのだ……。

なるほどクレイグ博士のごとき人物もいる。彼はすこぶる質素な服装《なり》をして、外で会えば御者くらいな格好で暮らしている。そうして屋根裏部屋に巣くって、欣然《きんぜん》と、たゆまず研究に専念している。しかも彼は、ちゃんとロンドン市民の尊敬を受けているのだ。しかしその先生にしたところで、現実世界と交渉のないのは明らかである。そもそも先生には現実世界と接触する気がないのだ。僕は一時、自分もいっそ気を散らさずに、先生のように生きた世の中と関係のない生涯を送ってみようかしらんと思った。そこで僕は大英博物館の図書室にいった。そうして、箱入りの札目録を一枚一枚調べてみた。ところが、いくら捲《めく》ってもあとからあとから新しい本の名が出てくる。しまいには肩が痛くなった。デタラメに本を借り出してみたが、どんな本にもきっと誰かが一度は目を通している。それは、ここかしこに見える鉛筆の跡で確かだった。僕は無理だと思った。生涯かけたところで、ここにある本をすべて読むことなどとうていできない。否、その一割にすら目を通すことは不可能だろう。僕が生きる世界は別にあるはずだと思った」

ナツメはそう言ったところで、唐突に口を閉ざし、足を止めた。顔を上げると、逆賊《トレーターズ・》門《ゲート》の前である。ただし、門の上にあるはずの聖トマス塔は霧の中に沈んではっきりとは見えない。ナツメは無言で角灯を掲げ、門の方を見ている。

角灯の光に照らされて、門の石段がにぶく光る。私はおやと思った。石段がまるで水に濡《ぬ》れているように見える。いや、見間違いではない。それどころか、門の途中までが水に沈んでいた。角灯の光を反射して、石段を洗う波の光がゆらゆらと揺らめいているのが、今ではもうはっきりと分かる。

（たしかテムズ川の堤防工事以来、ここに水は引いていなかったはずだが……？）

と私はちょっと首を傾げ、そのとき、ぎいと櫂《かい》がきしる音、それから雫《しずく》が船縁《ふなべり》を叩《たた》く音が聞こえた。霧の中から舟の姿がぬっと現れ、横付けに門に着いた。

ナツメは表情ひとつ変えず、角灯を高く掲げたままである。私には、やっぱりわけが分からない。呆気《あっけ》に取られて見守っていると、舟から白いひげを胸まで垂らし、ゆるやかに黒の法衣をまとった老人が、よろめきながら上がってきた。続いて、はなやかな鳥の毛を帽子にさし、黄金《こがね》づくりの太刀の柄に左の手をかけた若い男が軽やかな足取りで舟から降りた。私はふと、若者の顔に見覚えがある気がした。舟からは続いて、青い頭巾《ずきん》を目深に被《かぶ》り、空色の絹の下に鎖帷子《くさりかたびら》をつけた、りっぱな体格の男が、これは遠慮会釈なく舟から飛び降りた。私の視線はその男の横顔に釘《くぎ》づけになった。特徴のある鷲鼻《わしばな》の持ち主は……。

彼はさっきまで私と話していた塔の番人の一人であった。すると最初に上がった老人は、あの年配の番人であろう。もう一人は、頓狂《とんきょう》な声で『マクベス』の台詞《せりふ》を叫んだ若者に違いない。

私ははたと、あることに思い当たった。彼らはさっき、深夜の倫敦塔で行われる芝居の話をしてくれた。このばかげた騒ぎは、芝居の一部なのではあるまいか……？

そう考えた私は、なんだかすっかり面白くなり、彼らの役どころを当てようと頭をひねった。

三人は逆賊門に舟で着いた。ということは、この倫敦塔で非業の最期を遂げた歴史上の人物であろう。年配の番人が扮《ふん》するは大僧正クランマー、若い男はローリー卿《きょう》、鷲鼻の男はあのワイアット役であろうと見当をつけた。

舟から降りてきた三人がやがて、無言のまま、深い霧の中に姿を消すと、ナツメはまた角灯をさげて歩き始めた。来た道を左に折れ、血塔《ブラディ・タワー》の門を入ってゆく。塔の下を通り過ぎるとき、頭の上で子供の声が聞こえた。見上げると、不規則な石を積み上げて造った、ところどころに蔦《つた》のからまる壁の高い場所に、格子のある小さな窓がひとつ開き、そこからちらちらと蠟燭《ろうそく》の明かりが漏れている。声はそこから聞こえたものらしい。と、そこへまた、二人の子供が喋《しゃべ》る声が聞こえてきた。年長の――十三、四と思《おぼ》しき声が言った。

「命さえ助けてくれるなら、伯父《おじ》様に王の位を進ぜるものを」

「ああ、母様に会いたいなあ」と、こちらはいっそう幼い声である。

私は「ははあ」と思った。血塔の中では、かの『リチャード三世』が演じられているのだ。すると、塔の中の二人の幼い兄弟は、間もなく伯父リチャードの放った刺客の手で絞め殺されることになる。私は、それが芝居と分かっていても、なんだか痛ましい気がしてならなかった。

――気がつくと、ナツメがそばに立っていた。

彼は、私の方を振り向きもせず、角灯をさげ、ふたたびゆっくりと歩き出した。ナツメは囁《ささや》くような、低い声で言った。

「一人のシェイクスピア、一人のワーズワースも持たない日本が、将来、独自の美を見出《みいだ》すことはできるのだろうか？　イギリスの詩人キーツは〝美しいものは、永遠の喜びとなる〟と言った。だが、美しいものとはいったいなんなのだ。自然が美なのか？　それとも美は、それを愛《め》でる人の心の側にあるのか？　そもそも美は、言葉にして、初めて永遠の喜びとなるのではないか。それこそが文学なのではないか……。

なるほど、東洋にも美を謳《うた》う言葉はある。日本はそれを、古くは中国に学んだ。日本においで美とは、中国の言葉――つまり、漢籍に見出すものであった。僕自身、幼いころから、もっぱら漢籍に馴《な》れ親しんできた。僕は大学で英文学を学んだ。そして、学ぶにつれ、なんだか英文学に欺かれているような気がした。不安の念が勃然《ぼつぜん》とわき上がった。〝これは、いったいなんなのだろう？〟。僕は手当たり次第に読んだ。シェイクスピア、ワーズワース、エリオット、キーツ……。やがて僕は気がついた。それは、それまで僕が、日本人が、知らなかった美だった。だが、それらはやはりイギリスの美だった。日本の美ではなかった。そのことに気づいてしまって以来、僕の目はもはや漢籍のなかに美を見ることができなくなった。僕には、それが古い時代の中国の美としか思えなくなったのだ。

僕は卒然と悟った。〝日本は、日本の美を見つけなければならない。そしてそのための新しい言葉が必要なのだ〟と。だが、一人のシェイクスピア、一人のワーズワースさえ持たない日本が、どうして新しい言葉を生み出すことなどできるだろう？　そのために、この僕にいったい何ができるというのだ……」

　私は何も言えなかった。ナツメの言葉に含まれる悲痛な響きが、安易に口を挟むことを許さなかったのだ。

　やがて白塔《ホワイト・タワー》前の広場に出る。そこでナツメは、三たび方向を変え、今度はボーシャン塔へと向かった。

　途中、処刑台跡を通り過ぎるとき、私はそこに黒くうごめくいくつかの人影を認めた。ここでも何かの芝居が行われているらしい。地下牢《ちかろう》から引き出された囚人が、今まさに首を刎《は》ねられようとしている。彼らは全員無言で芝居を続け、残念ながら私には、それがなんの芝居なのか分からなかった。見ているあいだにも、囚人役の男が処刑場に押さえつけられ、首切り役人が斧《おの》を持って現れた。斧の刃は、かすかな明かりを反射して、白々とよく光る。私は〝まるで本物の斧のようだ〟と思った。首切り役人が、囚人の頭の上に斧を振り上げた。刃がぎらりと光り、目が眩《くら》んだ。

　――気がつくと、ナツメがそばに立っていた。

　ボーシャン塔の入り口が目の前にある。角灯をさげたナツメが先に立って中に入り、私は彼のあとを追った。ナツメは一階の部屋の真ん中に立ち、角灯を高く掲げて、ぐるりと壁を照らしてみせた。壁には、たくさんの文字が刻まれてある。

「いったい文明化とはなんであろう？」ナツメが言った。「最近、日本はついにイギリスと同盟を結んだ。以来きみたちは、僕をつかまえては、日本がついに文明国の仲間入りをしたと言って歓《よろこ》んでくれる。僕はしかし不思議でならない。なぜといって、このたび日本がイギリスと結んだ同盟は、結局のところ戦争を目的としているのは明らかなのだから。文明国とは、畢竟《ひつきよう》戦争をする国のことなのか？　きみたちの言う文明化とは、野蛮化の謂《いい》なのか？　そして、僕は今や、その問いに答えることができる。〝然《しか》り、文明化とは即ち戦争と抑圧のことなのだ〟と。

僕がロンドンに来てもっとも苦しんだのは、きみたちが僕に向ける冷ややかな眼差《まなざ》しだった。それは僕が、珍しい日本人だったからじゃない。きみたちは、あらゆる他者に対して——例えば有色人に対して、さらには同国のアイルランド人に対してさえ——冷ややかな眼差しを向ける。そう、僕は気づいているのだよ。きみたちの言う文明とは、結局のところ我と彼とを区別し、そうして異なるものを差別する眼差しにほかならないのだと。

この壁に刻まれたのは、歴史のなかで差別された者の叫びだ。彼らはこの塔の中に閉じ込められ、二度とふたたび生きて出ることができなかった。彼らはそのことを知っていた。それでも、斧の刃に肉飛び、骨砕けるその瞬間まで、彼らは生きようとした。それがこの壁に刻まれた文字だ。彼らはただ自らの爪を研ぎ、堅き壁に挑んだ。一と書き、爪が剥《は》がれ、剥がれた爪が癒えるのを待って、ふたたび二と書いた。彼らはただ一となり二となり、線となり、字となって永遠に生きようとしたのだ……」

ナツメがそう言ったとき、室内の冷気が一時に背の毛穴から吹き込んできた気がして、私は覚えず身を震わせた。気がつくと、角灯の明かりに照らされた壁がなんだか湿っぽい。指先でそっとなでてみると、ぬらりと露にすべった。指先を見ると真っ赤だ。壁の隅からぽたりぽたりと露の雫がしたたり落ち、床の上に鮮やかな紅色の紋を不規則に重ねている。

壁の奥からかすかに、唸《うな》るような声が聞こえた。唸り声はだんだんと大きくなる。足下からはシュッシュと斧を研ぐ音が聞こえる。

ナツメは黙って、角灯で壁の一角を照らした。

私はそこに〝ジェーン・グレー〟の文字が刻まれてあるのを見た。

塔の奥から火が近づいてくる。やがて、松明《たいまつ》を持った男たちが姿を現し、その後ろから白い毛裏を折り返した法衣を裾《すそ》長く引いた年配の僧侶《そうりょ》が、若い女の手を引いて現れた。女は雪のように白い服をつけ、肩に余る金色の髪を雲のように揺らしている。よく見ると彼女は、その顔に大きな白いハンカチで目隠しをされていた。

居並ぶ男たちの前に引き出された若い女は、両の手でそろそろと辺りを探り、首をのせる台を探し当てた。彼女は落ち着いた声で尋ねた。

「わが夫は、すでに神の国に行ったのでしょうか」

私はその声に聞き覚えがあった。

質問に対する返事はなく、その代わり足下からまた斧を研ぐ音が聞こえた。

「そう……その斧で殺されたのね」

「まことの道に入る決心はつきませんかな？」僧侶役の老人が尋ねた。「今ならば、まだ間に合うかもしれませんぞ」

「おっしゃることが分かりませんわ」女が相手を嘲《あざけ》るように言った。「裏切ったのは、あなた。この国の正義はただ、わたしとわたしの夫の信じる道にしかありません。裏切ったのは、あなた……」

女はそう言いながら、自ら首を台の上に投げかけた。斧を研ぐ音が止み、暗闇の中からがっしりとした体格の男が歩み出た。男は手にした斧を頭上高く振り上げる。その一瞬、松明の明かりが男の顔を照らし出した。私はあっと声を上げた。その男は、〝私〟であった。

「待て!」

と叫ぶより早く、〝私〟が重たげな斧をえいと振り下ろす。

前に踏み出した私のズボンの膝《ひざ》に二、三点の血がほとばしるのを見て、目の前が真っ暗になった。

——気がつくと、ナツメがそばに立っていた。

「きみは澄みきった水の面を泳いだことがあるかい」ナツメはひじょうに静かな声で尋ねた。「ふと下をのぞき込み、墜落の恐怖に恐慌をきたす。それが明治を迎えた日本だ。日本は、どこにも立つべき場所がない。東洋も西洋も、僕たちの精神を支えてはくれないのだ。

きみたちの二つの夢。基督《キリスト》教と社会主義。あの世と未来。日本はそのいずれも、これまで信じてこなかったし、これからもけっして信じることがないだろう。それらは、僕たちが見る夢ではないのだ……。

こう言う僕がきみたちをどれほど羨《うらや》んでいるか、きみには分かるまいね。きみたちは幸せだ。いずれにしても楽園を夢見ることができるのだから。ここは違う場所を夢見ることと、今とは違う時間を想像することなしには、この世は単なる地獄だ。僕は日本のために何もできない。何もできない自分に腹が立つ。anywhere out of the world. 僕はこの世の外に行ってしまいたい。けれど僕には、それすら許されていない。日本には僕を待ってくれている人たちがいるのだ」

ナツメはそう言って、悲しげな顔で足下を指差した。堅い石の床はそこにはなく、無限の闇が広がっている。私はその闇の中に墜落する。

――気がつくと、ナツメがそばに立っていた。

「僕には一人の友があった。マサオカ・シキという男だ。僕が彼と別れて日本を出るとき、彼は病に臥《ふ》せていた。そして先日、ロンドンにいる僕にシキから手紙が届いた。そこにはただこう書かれていた。〈ボクハモウダメニナッテシマッタ〉。その手紙は僕を打ちのめした。自分にとってシキという友がどれほど大切な存在であったか、僕は改めて思い知った。僕はもう、二度と生きたシキには会えまい。僕は、シキがどれほどイギリスに来たがっていたかを思い出して、涙が出た。僕は、友を置いてイギリスに来て、いったい何をやっているのだ……」

ナツメの目からぽろぽろと涙がこぼれ落ちた。涙は川となり、その川を、白い服をまとい、ハンカチで目隠しをされた女が、歌を唄《うた》いながら、仰向けに流れてゆく。

二度と戻って、来ないの？
二度と戻って、来ないの？
死んだ人は　もういない
帰らぬ人を　待つよりは
いっそ我が身を捨てましょう
雪のおひげも　いまはなく
かいなき涙を　ぬぐいつつ
流れを枕に、石で口を漱《すす》ぎましょう
どうぞあの世で　おしあわせに——

女が流れに浮かんだまま目隠しを取り去り、私に向かってハンカチを振る。私はふいに、彼女がキャスリーン・アドラー嬢であることを知った。

——気がつくと、ナツメがそばに立っていた。

ナツメは黙って塔の窓を指さした。高い窓から男が一人、稲妻のように顔を出す。

「あと一時間、早かったなら……。この三本のマッチが役に立たなかったのは、じつに残念だ」

ガイ・フォークスはそう言ってマッチを擦り、王を殺すために用意した爆弾に火をつける。

「待て！」

と叫ぶより早く、私は手にした斧《おの》を女の白いうなじに向けて振り下ろす。

――気がつくと、ナツメがそばに立っていた。

ナツメは白い服を着たキャスリーン・アドラーと向き合っている。

「哀れみは、愛に似ていますか？」ナツメが尋ねた。

女はややしばらく彼を眺めたあと、聞きかねるほどのため息をかすかに漏らした。やがて細い手を濃い眉《まゆ》の上に加えて言った。

「我はわが咎《とが》を知る。わが罪はつねにわが前にあり」

とたんにナツメが声色を変えた。

「あなたは鉄の精神を持った女だ。外面は女性としても無類の美しさをもちながら、内心は、男も及ばぬ果敢さがある。あなたならば、やりかねぬ……」

そう言うあいだにもナツメはみるみる姿を変じ、ボヘミア国王の姿になった。

「余はお礼の申しようもないほどの大恩をうけた。どうしてきみの労に酬《むく》いたらよいか。この指輪は――」とダイヤが煌《きら》めくへび形の指輪をぬきとって、手の上にのせてさしだした。

「陛下お持ちの品で、これよりはるかに貴重と考えられるものがございます」ホームズが言った。

「なんなりと言うがよい」

「この写真にございます」

「アイリーンの写真を！　よろしい、望みとあらば」

「ありがとうございます。ではもう、御用もございますまいから……行こう、ワトスン君！」

振り返ると、ホームズがアイリーン・アドラーと向かい合って立っていた。アイリーンは、突然姿を消したあのときと、少しも変わらないように見える。

「きみはどうして変わらずにいるのだい？」ホームズが尋ねた。

「この顔の年、この服装の月、この髪の日がいちばん好きだから、こうしているのですわ」アイリーンが美しい声で答えた。

ホームズが「それはいつのことです」と尋ねると「十五年前、あなたにお目にかかったときですわ」という。

「きみは絵だ」

「それじゃあなたは詩ね」

イギリス人で詩を解する人間は百人に一人もいない。そこへいくと日本人はえらいものだ。

「きみ、火曜日の男の正体を知っているかい？」

――気がつくと、ホームズがそばに立っていた。

「僕はもう駄目になってしまった」ホームズが落胆した声で呟《つぶや》いた。

「何を言うんだ、ホームズ。まだこれからだよ」私が言った。

「……これでもかい？」

ホームズがぐるりと振り向いた。私は悲鳴を上げた。振り返ったホームズのその顔には、目も、鼻も、口も見えない。――のっぺらぼう。

椿の花が一斉に落ちる。そのなかを、ホームズの首がごろりと転がり落ちた。ホームズは自分の首を拾い上げ、接吻《せっぷん》して、言った。

「やあ、ワトスン君。きみが犯人だったとはね」

「違う！　私じゃない。私は……」

「裏切ったのは、あなた」

「爵位をお貰《もら》いになって、さぞやお得意なのでしょうね、ドクター・ワトスン」

真っ赤な花びらが雨のように降りそそぐ。私は顔に降りかかる花びらを、懸命に払いのける。花びらは……なんだか生臭い。赤くて、生あたたかい。ぬめぬめしている。息ができない。

私はたまらず、うめき声を上げた。

「おや、気がついたようだ」とナツメの声がして、急に息が楽になった。目を開けると、ナツメと二匹の犬が並んで私の顔をのぞき込んでいた。

「カーロー君もジャック君も、もういいよ。ありがとう。……しばらくその辺で遊んできたまえ」

ナツメがそう言うと、二匹の犬は「ワン」とひと声鳴き、交互に私の顔をひとなめして――彼らの舌は、赤くて、生あたたかく、ぬめぬめとして、そして少し生臭かった――走り去った。

「ワトスン君、あとで彼らによくお礼を言いたまえよ。彼らがきみを見つけてくれたんだ」

「僕を？ 見つけた……？」

私は上体を起こし、朦朧《もうろう》とした頭で左右を見回した。辺りはやはり深い霧と夜の闇が立ち込め、篝火《かがりび》の光が届く範囲のそこかしこに、ビーフイーターたちが、ある者はしゃがみ込み、ある者は頭を抱えた姿で散らばっているのが見えた。

「阿片《アヘン》だよ」ナツメが、まだ首を傾げている私に言った。「きみが食べたカレー料理に阿片が混ぜられていたんだ。ふん、うまいこと考えたものさ。阿片というやつは、なるほど匂いは不快なものじゃないが、けっして無味なものではない。普通の料理に混ぜたんじゃ、ひと口でそれと気づいて、食べるのをやめてしまうからね。そこでカレーを使ったんだ」

「カレー料理に、阿片？ 阿片だって！」

私は自分が経験した奇怪な状況を思い出した。するとあれは、阿片が私に見せた幻だったというのか……？

「だが誰が、なんのために、そんなことをしたんだろう？」

「なんのためかはまだ分からないが」ナツメが言った。「誰かはもう分かっている」

「まさか？」

「犯人を捕まえたからね」

ナツメはそう言って肩をすくめ、私の背後を指さした。私は振り返り、この場に駆けつけたのがナツメ（及び、二匹の犬）だけではなかったことを初めて知った。濃い霧の中を角灯の明かりがいくつも動いている。目を凝らすと、制服を着た警官たちであった。レストレード警部の顔も見える。

彼らは大勢で、縞柄《しまがら》の妙なマントのようなものを羽織った一人の男を取り押さえていた。

「あいつが犯人だよ」

ナツメが私の耳元でそう囁《ささや》いた。警官の一人が角灯を突きつけ、男の姿が光の中に浮かび上がる。男がこちらを振り返った。

その顔は、深い闇を思わせる、黒い色をしていた。

# 13　ナツメ式推理法

やがて黒い顔の男が、警官たちに引きずられるようにして篝火の明かりのなかに連れてこられた。それは、小柄で、全身が真っ黒な男であった。いささか不釣り合いなほど大きな頭に硬く縮れた髪がもじゃもじゃに乱れ、体をくるむ太い縞柄の大外套《がいとう》だか毛布だかの端から、ひょろりと長く、黒い手足がのぞいている。また黒い顔のなかにあっては、やけに目立つ白目がぎょろりと気味悪く光り、一方で平たくつぶれた鼻と、厚い唇とが、男に動物的な表情を与えていた。

私は、かの〝ショルトー事件・(註『四つの署名』参照)〟の際に出会った蛮人のことを思い出した。

警官たちが謎の黒い男を取り調べているあいだ、ナツメは少し離れた場所に立って、私に事件の経緯を次のように説明してくれた。

「僕は今日、ベーカー街できみと別れてから、あることに思い当たって警視庁に行ったのだ。何しろ、きみがあそこに行くことは、僕にはちゃんと分かっていたからね。ところがった行ってみると、ひと足違いできみが帰ったところだというじゃないか。僕はしまったと思ってった。そこへきて、またこの霧だろう。そこで僕は急いでブレッド氏のところに行って、またカーロー君とジャック君を借り出し、彼らにきみの匂いを追ってもらったのだ」

「そりゃ、僕が警視庁に行くことは分かっていただろうさ」私は呆《あき》れて言った。「何しろ僕が、別れるときにきみにそう言ったからね。それに、カーロー君とジャック君が僕を見つけてくれたのも分かった。しかし、そもそもきみは、どうして僕を探していたんだい？　きみが思い当たった〝あること〟というのはなんだったんだい？」

「あること？」ナツメはぽかんとした顔で繰り返した。

「たった今、きみが言ったじゃないか。『あることに思い当たって警視庁に行った』と」

「ああ。あれね」ナツメは手を打って言った。「うん、あれはまあ……。そのことはもういいんだ」

　ナツメはそう言って、とぼけた顔をしている。ふと、彼の背後に見慣れた自転車が止めてあるのに気がついた。私は内心「なるほど」と頷《うなず》いた。ナツメは、ついに自転車に乗るこいつをつかんだのだろう。彼は自転車に乗れるようになった。そのことを自慢するために、私を探していたのだ。

「ところでワトスン君」ナツメが、どうしたものか、ふいに真剣な表情になり、顔を私に近づけ、声をひそめて尋ねた。

「あの男と僕と、どっちが色が白いかね？」

「あの男となら、そりゃ、きみの方が白いに決まっているさ」私は笑いをかみ殺して言った。

「じゃ、背が高いのはどっちだい？」

「ここからじゃよく分からないが……」

「ちゃんと見たまえ」

「そうさな、よく似たものだろうが……」と私はちらりとナツメを見て「いや、やっぱりきみの方が少しばかり高いようだ」

「うん、そうだろう。きっとそうだと思っていたんだ」

ナツメは急に上機嫌な、はしゃいだ様子になって言った。

「それにしてもワトスン君、きみが正直な男ならこのことは必ず書き込んで、僕の成功談に泥を塗ってくれるといいよ。まったくのところ、彼の手助けがなければ、僕はあやうく犯人を取り逃がしてしまうところだったのだからね」

「彼？　誰のことだい？」

「おや、それじゃまだ気づいてなかったのか？　僕たちの共通の友人が、さっきからそこにいるじゃないか」

私ははっとしてナツメの指さした先を見た。警官たちのあいだにひょいと手を上げたのは、スタンフォド君であった。

「いやあ、ひどい目にあったよ！」とスタンフォド君は、覚めやらぬ興奮に目を輝かせながら歩み寄り、私の肩を叩《たた》いて言った。「大丈夫かい、きみ？　まだ顔が青いようだね。それにしても、まさかきみが阿片をやるとは知らなかったよ」

「阿片入りと知ってて食べたわけじゃないさ」私は苦笑して言った。「それよりきみ、なんだってきみがここにいるんだい？」

「それが妙な偶然というやつでね。いつもの夜の散歩中、霧の中で犬を連れたナツメ氏とばったり会ったんだ。彼がきみを探していると言うものだから、一緒に探すことにした。それで、ちょうど倫敦塔の前を通りかかったところ、突然あいつが僕に襲いかかってきたんだ。僕が奴と格闘しているあいだに、ナツメ氏には警察に通報をお願いしたというわけさ。実際、彼が巧みな自転車乗りなんで助かったよ」

ナツメは褒められて、嬉《うれ》しそうな顔をしている。

「奴は、最近、アフリカのどこかから来たんだろうね」とスタンフォード君は男の方に顎《あご》をしゃくって言った。「あの格好を見たまえ。多分、南アフリカじゃないかな？　うん、きっとそうだ。あのマントの妙な縞柄は、向こうで見たことがある」

「ふむ」と私は首をひねり、また思いついて尋ねた。「ところで、キャスリーン・アドラー嬢を見なかったかな？　ほら、例の降霊会に参加していた……」

「いや、見なかったな。彼女がこの辺にいたのかい？」

「きみが見なかったのならいいんだ。多分、僕の見間違いだろう」

と、私たちが話しているところへ、レストレード警部が顔を出した。

「奴は、いったん署に連行することにしました」

「それがいいでしょうね」スタンフォード君が頷いた。

私たちは、黒い顔の男が制服の警官二人に両わきを挟まれ、引き立てられてゆくのを見送っていたが、レストレードはふと思いついたようにスタンフォド君を振り返って尋ねた。

「あなたは以前からあの男を知っていたのですか？」

「まさか。知るものですか。初めて見た顔ですよ」

「では、あの男はなぜあなたに襲いかかったのでしょう？」

「さあ、こっちが聞きたいくらいですよ」とスタンフォド君は眉《まゆ》をひそめ、少し考えて言った。「もしかすると奴は、以前から倫敦塔にひそんでいて、通りがかりの人間を襲って金品を奪っていたんじゃないですか？　そういえば、最近、この場所で妙な魔女騒ぎがあった。〝大箒《おおぼうき》にまたがって空を飛ぶ人影を見た〟だの〝巨大な恐ろしい顔がふわふわと浮かんでいた〟といった目撃談こそは、奴が以前からこの辺りをうろついていたという証拠じゃないですかね。何しろ、奴が着ていたあのマントの柄は、広げると人の顔に見えなくもない。それに、マントを翻して移動する様子は、遠目にはきっと大箒にまたがったようにも見えたはずです」

「なるほど。それは気がつきませんでした」

「警邏《けいら》巡査が見つけた、鉄鍋《てつなべ》の一件もある」

「鉄鍋？」

「ほら、新聞に出ていたでしょう。〝普段人の近づかない塔の隅で、火を焚《た》いた形跡があり、その場所に一個の鉄鍋が残されていた。周囲にはカエルの目玉や蛇の尻尾《しっぽ》、イモムシ、ヤギの毛などが散らばっていた〟という例の記事ですよ。それが奴の普段の食事だったとしても、僕は少しも驚きませんね。……ねえ、ワトスン君。きみはどう思う？　例の魔女騒ぎは、全部黒い顔の男の仕業だったとは思わないかい？」

「僕は……そういえば、そうかもしれないね」

　まさかロバート卿《きょう》の秘密を話すわけにもいかないので、私はあいまいに言葉を濁した。

スタンフォド君は、またレストレード警部を振り返って尋ねた。

「それで、奴はなんと言っているのです？　奴を取り調べて、何か分かりましたか？」

「いろいろとね」レストレードは疲れた様子で首を振った。「第一に、奴は英語をほとんど解しません」

「おやおや」

「第二に、スタンフォドさん、奴はあなたに強い恨みをもっている。これは、少しでも手を緩めるとあなたに飛びかかろうとしますから、まあ確かでしょう」

「さっき、ステッキで思いきりぶん殴ってやりましたからね」スタンフォド君が言った。

「そういえば、僕のステッキはどこにいったんだろう？」

「第三に」レストレードは言った。「奴は、英語で書かれた一通のメモを所持していました」

「そのメモにはなんと書いてあったんだい？」私がわきから尋ねた。

「それが、なんにも」警部は肩をすくめた。「ただ名前が二つ、書いてあっただけです。

〈キャスリーン・アドラー宛、アイリーン・ノートンより〉と」

「なんですって！」突然、スタンフォド君が顔色を変え、あとの言葉を呟《つぶや》くように言った。「なんてことだ。それじゃ、やっぱり彼女が婆さんを殺したんだ……」

「彼女が、殺した？　あなたはまた何を言い出したのです？」レストレードが素早く聞き咎《とが》めた。

スタンフォド君はちょっとのあいだためらう様子であったが、結局思いきったように口を開いた。

「じつは、先日のインチキ降霊会で霊媒師が殺された例の事件――あの事件について、僕はあれから独自にいろいろと調べてみたのです。何しろ僕も当事者の一人ですからね。〝自分にかかった疑惑を晴らすためには、真犯人を挙げるのがいちばんだ〟と、まあ、そんなふうに考えたわけです。僕はまず参加者の履歴を調べ、そして参加者のうち、僕を含め、ほとんど全員が、何かしら南アフリカに関係していることに気がつきました。僕にはすぐにぴんときました。〝こいつはきっと、南アフリカに原因を発した事件だぞ〟と。

僕はその後も調べを進め、なかでもいちばん疑わしく思ったのが、キャスリーン・アドラー嬢でした。何しろ、ええ、先の戦争中、僕もあそこにいたから知っているのですが、彼女の姉アイリーン・ノートンは敵方のスパイとして捕らえられ、取り調べの最中に死亡しているのです。当時、同じ家に住んでいたキャスリーン嬢が姉から何も影響を受けなかったとは考えづらい。そこで僕は仮説を立ててみました。もしかするとキャスリーン嬢もまた、あの戦争中、現地オランダ人の側につき、スパイ行為を行っていたのではないか？　いや、もしかすると彼女は今も、敵のスパイとして働いているのではないか？　そして、もし僕のこの仮説が正しいとしたら、彼女はあの降霊会の場で、正体を明かされるのを恐れて霊媒師を毒殺したのではないか……」

「ちょっと待ってくれ」私が口を挟んだ。「きみが今言ったのは、いずれも単なる想像だろう？　断言するだけでは証拠にならない。もっと確固たる、もっと明白な証拠がなくては……」

「さては、きみもロバート卿にかぶれたとみえる。〝今のところ彼に不利なのは、世にありふれた、うわべだけの、貧弱極まる状況証拠でしかない〟。……オセローだね？」

「引用するつもりはなかったのだがね」私は肩をすくめて言った。「でも、まあそのとおりだ。それとも、何か証拠があるのかい？」

「証拠？　そうだ。ここに証拠がある！」スタンフォド君は急に何かを思いついた様子で上着のポケットを探り、何物かを手のひらの上に取り出した。それははじめ、どこにでも転がっている一個の石塊《いしくれ》のように見えた。だが、スタンフォド君が手を篝火《かがりび》の方に向けた瞬間、私は思わず目を見張った。石は、彼の手のひらの薄暗いくぼみの中で、燦然《さんぜん》と赤い光を放ったのだ。大きさは小さなジャガイモほどもあろうか、石の赤い輝きはあたかも電光のように見る者の目を射た。

「や、や、これはたいしたものだ」レストレードが言った。「なんです、この石は？」

「おそらく赤ダイヤでしょうね。だとしたら、大変珍しいものです」スタンフォド君が言った。「これは、格闘中に奴の懐から転がり落ちたのを、僕がさっき拾ったのです。……といっても、誤解しないでくださいよ、警部さん。僕はあなたにいつお見せしようかと、機会を窺《うかが》っていただけなのですから」

「まあ、そうでしょうな」

「しかし、このダイヤがどうして証拠になるんだい？」私が尋ねた。

「きみもよくよくにぶい男だね」スタンフォド君は呆《あき》れたように言った。「逮捕された黒い顔の男は、キャスリーン嬢宛のメモと、このダイヤを持っていたんだぜ。とすれば、ダイヤはスパイ行為の報酬に決まっているじゃないか。彼女はこのダイヤに、文字どおり、目が眩《くら》んだんだよ。とかく女というやつは宝石に弱いものだからね」

私はレストレード警部と顔を見合わせた。スタンフォド君の推理はなるほど筋道が通っているように思える。だが、何か、ごくささいな点が、私にはまだ納得がいかなかった。

ふいに、ひやりとしたものが私の手の甲に押しつけられた。私ははっとして反射的に手を引き上げ、振り返ると、そこにいつ帰ってきたのか二匹の犬が行儀よく座り、小首を傾げて私の顔を見上げていた。見れば、一匹（カーロー君？）が口に黒い棒のようなものをくわえている。

「おや、僕のステッキじゃないか」スタンフォド君が声を上げた。「どこに落ちていたんだろう？　見つかってよかった。さあ、こっちへよこしたまえ」

スタンフォド君はそう言って犬に手を伸ばしたが、二匹の犬たちは彼のわきをすり抜けるようにして、ナツメの背後に隠れてしまった。ナツメは腰をかがめ、犬からステッキを取り上げた。

「や、どうもありがとう」スタンフォド君はナツメに手を差し出した。ところがナツメはその手を無視して言った。

「待ちたまえ！」

ナツメの厳しい声の調子に、私たちは思わず顔を見合わせた。ナツメは興奮に声を震わせて言った。

「きみたちはさっきから、いったい何を言っているのだ。〝あの女《ひと》〟が犯人？〝あの女〟が、自分がスパイだと知られるのを恐れて、霊媒師を毒殺した？〝あの女〟が黒い男の仲間だって！言うにことかいて、よくも、よくもそんな出鱈目《でたらめ》ばかり言えたものだね。〝あの女〟が――キャスリーン嬢が犯人であるはずがないじゃないか。彼女が、黒い男の仲間であるはずがない。そうとも、彼女が、僕より色が黒くて、僕より背の低い男の仲間でなどあるものかね。僕はそのことをちゃんと知っている。なんなら、これからきみたちにそのことを証明してみせよう」

ナツメは青い顔で仁王立ちになり、唇をぶるぶると震わせながら、居並ぶ私たちの顔を見回して、そう宣言した。

「第一に、殺人事件の起きた状況を思い出してくれたまえ。なるほど、あの降霊会は完全な闇の中で行われた。そのうえ、頭の上からは終始妙な声が聞こえていたし、しかも造花の椿がざわざわと音を立てていたから、少々人が動いていても気配は分からなかっただろう。だが、きみたちは肝心な点を見落としている。つまり〝参加者はあの降霊会のあいだ、ずっとお互いに手をつないでいた〟という事実だよ。ことに〝あの女《ひと》〟に限っていうなら、断言するが、降霊会が始まってから霊媒師が倒れるまで、僕は隣りに座った〝あの女〟の指を一度も離さなかった。そんなことは頼まれたってするものかね。

ところ言えば、きみたちはすぐに、唯一の例外――ロバート卿が頭を叩《たた》かれて手を離したときのことを思い出し、彼を疑うのではあるまいか？　しかし、僕の考えでは、あれは今回の事件とはなんの関係もない出来事なのだ。なぜって、考えてもみたまえ、ロバート卿が手を離したのは、降霊会が始まってすぐのことだったし、一方で、霊媒師の死因は青酸カリによる中毒死だそうじゃないか。青酸カリ中毒というのは、ワトスン君なら知っていようが、ほとんど即死状態を意味するのだ。以上のことは、ロバート卿の一件が今回の事件とはなんら関係がないことを示唆している」

「そうすると、おかしなことになるね」私が口を挟んだ。「誰も、文字どおり、手を下すことができなかった。だが、実際にはひと一人殺されているんだ」

「それともきみはまさか、この期に及んで、あれが自殺だったなどと言い出すんじゃないだろうね？」スタンフォード君が眉《まゆ》をひそめて尋ねた。

「その可能性は、まずありませんね」レストレード警部が言った。「私は被害者を知っていますが、あの業つくばりの、執念深いローラ婆さんが、間違っても自殺なんかするはずがない。彼女は誰かに殺されたのです。そりゃ、どうやったのか、殺害方法は私にもまだ分かりませんがね」

「僕は以前からひとつの信条をもっている」ナツメが言った。「完全にありえないことを取り除けば、残った可能性は、いかにありそうにないことでも、事実に相違ないということだ」

スタンフォド君と顔を見合わせ苦笑していた私は、これを聞いて急に雷に打たれたように、びくりとした。私はナツメに会って以来、彼がことあるごとに披露してきた推理を思い出した。なるほど、そのたびに彼の推理はことごとく、見事なまでにはずれてきた。

だが、ナツメの推理方法は、わが友シャーロック・ホームズのそれと、いったいどこが違うというのだろう？　わずかな痕跡《こんせき》から大胆な仮説を立て、隠された過去の事実に至るそのやり方は――五つのクッションを集めてその上に座り、刻みタバコを一オンス分、煙にすることまで――まるでホームズの方法そっくりではないか？　ナツメの推理方法は、いささか不完全かもしれないが、ホームズのやり方そのものなのだ……。

私は突然、恐ろしい考えに取り憑《つ》かれた。ナツメが間違っているのなら、ホームズもまた間違っているのではあるまいか？

その思いつきは、天地がひっくり返ったほどの衝撃だった。私はホームズに出会って以来、彼の非常識ぶりに呆れることはあっても、一度たりとも彼が間違っているかもしれないなどという可能性を考えたことがなかった。そんなことは、ちらりとさえ思い浮かべたことがなかったのだ。

ふいに足の下の固い地面が失われ、闇の中に無限に墜落していく不安に襲われた。

私はナツメが正しい結論に至ることを祈った。

ナツメは自信たっぷりの様子で、今一度私たちを見回し、そしてきっぱりとした声でこう言った。

「犯人は、私だ」

# 14　もうひとつの貌《かお》

「いやはや。ご自分が犯人だなんて、あなたはなんだってまた、そんな妙な結論に到達したんです？」レストレードが唖然《あぜん》とした様子で尋ねた。

「論理だよ、論理」ナツメは平然と言った。「あの状況で、唯一犯行が可能であった人物が、この事件の真犯人ということになる。それが、いかにありえないことに思われようとも、完全にありえないことを取り除いたあとに残されたものこそが、真実なのだ。論理に例外は許されない。それがたとえ自分にとって受け入れがたい真実であってもね」

「しかし、あなたはたった今、ご自分でこうおっしゃったばかりですよ。『事件が起きたときは、ずっと手をつないでいた』と」

「なるほど、あのとき僕は両手がふさがっていた。そしてそれは、あの場に居合わせた、降霊会の参加者全員に当てはまる条件なのだ」

「私にはまだよく分からないのですが」レストレードは首のわきの辺りを指で掻《か》きながら尋ねた。「あなたは結局、あの場にいた人物は誰もローラ婆さんに手を下すことができなかったと、そうおっしゃりたいのですか？」

「そうだ」ナツメはきっぱりと言った。

「やれやれ。それじゃ、話はまた振り出しに戻ることになる。それとも、あなたはまさか、これを超自然的な事件だと主張するつもりじゃないでしょうね？　それとも、東洋には、我々イギリス人の知らない遠隔操作の能力が存在するのですか？」

「超自然的な事件？　遠隔操作の能力？」ナツメは呆《あき》れたように言った。「何をばかなことを言っているんだ。そんなことを思いつくのは、レストレード君、きみくらいなものだよ」

「それは、どうも」警部は仏頂面で黙り込んだ。

「ワトスン君、きみは覚えているはずだ」ナツメは私に顔を振り向けて言った。「きみが僕の下宿を訪れ、句会に参加したときのことだよ。きみは、日本人が普段どんな筆記用具を使っているのか見たはずだ。それに、日本人が部屋の中でどうやって過ごしているのかも。日本人は、部屋の中では靴を脱ぎ、裸足で暮らしている。それどころか、日本では外でも、靴ではなく下駄《げた》や草履をはいて生活しているのだ。その結果、きみは見たはずだ、日本人の足指がきみたちイギリス人に比べていかに発達しているのかを」

「確かにきみの言うとおりだ。しかし……」

私は救いを求めてスタンフォド君とレストレードに交互に視線を向けた。が、二人とも笑いをかみ殺しつつ、肩をすくめただけであった。

「まだ分からないのかい」ナツメはもどかしげに地団駄《じだんだ》を踏んで言った。「いいかねきみ、僕はさっき、なるほど〝両手がふさがっていた〟と言った。だが、足は自由だった。犯行は足を使って行われたのだよ」

「本気で言っているんじゃないだろうね？」

「これが、あらゆる可能性を検討した結果なのだ」ナツメは手を激しく振った。「この一見不可能に思える犯罪は、しかし日本人の手――ならぬ足を使うことによって、初めて可能になる。犯人は、青酸カリを浸した日本の筆を足の指に挟み、それを被害者の口に押し込んだ……」

「そんなことができたはずがない」私は首を振って言った。「あのとき、きみと殺された霊媒師のあいだにはキャスリーン嬢が座っていたんだ。失礼だが、きみのその短い足では、たとえ指で筆を挟んだとしても、届いたとはとうてい思えないね」

「それこそが犯人の悪賢い点なのだ！」ナツメはむきになって叫んだ。「犯人は、自分の足が直接被害者に届かないことを知ると、たちまち一計を案じた。そしてそのトリックがいかなるものであったか、ワトスン君、レストレード君、きみたちは自分の目で見ているはずなのだ」

そう言われて、私はレストレードと顔を見合わせた。

「は、は、はっ」ナツメは突然甲高い声で短く笑った。「きみたちは、事件のあと、僕が現場の床を這《は》いまわっていたのはなぜだと思ったのだい？　僕は犯罪の証拠を回収していたのだよ。青酸カリのついた虫をね」

「というと、椿の花の下に見つけた例の甲虫のことかい？」

「そうとも。僕はあの虫に、足の指に挟んだ筆で青酸カリを塗りつけ、それから霊媒師の口に向けて飛ぶよう仕向けたんだ。狙いどおり、虫は霊媒師の口に飛び込んだ。あとはきみたちも知ってのとおりさ」

ナツメはそう言ってぐいと顎《あご》を突き出し、ぎらぎらとよく光る目で私たちを睨《にら》みつけた。

「でも、なぜだい？」私は仕方なく彼に尋ねた。「きみはなぜそんなことをしたんだ？」

「なぜ？」ナツメはちょっと虚をつかれた様子で、目を瞬《しばたた》いた。

「そうですよ」レストレードが言った。「犯罪には動機があるはずです。あなたの動機はなんだったのです？」

「それは……つまり……」とナツメは視線を宙に泳がせ、またすぐに口を開いた。

「あの降霊会は、明らかにイカサマだった。僕にはすぐにそのことが分かった。僕は、あんな安手の降霊会で、〝あの女《ひと》〟を騙《だま》している霊媒師が許せなかったのだ」

ナツメはそう言うと、それ以上の一切の反論を封じるように、両手を顔の前で勢いよく振り、「さあ、僕を逮捕したまえ。〝あの女〟が疑われるくらいなら、僕が犯人だ。いかにありそうに思えなくとも、それが真実なのだ」

ナツメは持っていたステッキを私に渡し、神妙な顔つきで、両手をレストレードに向けて差し出した。警部はもぞもぞと落ち着かなげに体をゆすり、左右を見回し、最後に助けを求めるように私を見た。

今度は私が目を逸《そ》らす番だった。額に手をやると、なんだかおかしな汗が浮かんでいる。私はハンカチを取り出そうと、あいた手で上着のポケットを探り、ふと指先に妙なものが触れた。引き出すと、見覚えのない、小さく四つ折りにした紙片である。私は何げなく紙切れを開き、そこに書かれた文字を読んだ。


「きみはなぜこんなことをしたんだ?」私が言った。

「だから、僕は〝あの女〟を……」

「きみじゃない」私はナツメの答えを遮り、もう一度尋ねた。「きみはなぜこんなことをしたんだ、スタンフォド君?」

「僕? 僕が何をしたというのだ?」スタンフォド君はきょとんとした顔で言った。

「きみは……」と私は、彼との長年にわたる友情を思い出して一瞬言葉に詰まり、だが思い返して続けた。「霊媒師を殺したのは、キャスリーン嬢でも、もちろんナツメでもない。真犯人は、スタンフォド君、きみだったのだ」

「おいおいワトスン君、急にいったいどうしたというんだ? それとも、阿片《アヘン》のせいで、気が変になったんじゃないだろうね」

「あくまでもとぼける気だね。それじゃあ仕方がない。このステッキは、警部にお渡しするとしよう」

私がそう言った瞬間、それまでにこやかな笑みを浮かべていたスタンフォド君の顔が、にわかに強《こわ》ばった。彼は突然手を伸ばして、私からステッキを奪い去ろうとした。私は背後に飛び下がり、ステッキを顔の高さに掲げ持った。

「どうやら、説明していただく必要があるようですな」

レストレード警部がそう言いながら、穏やかな、しかし毅然《きぜん》とした態度で、私たち二人のあいだに体を入れた。スタンフォード君は顔を真っ赤に硬直させ、すさまじい表情で私を睨みつけている。気がつくと、私の足下に二匹の犬——カーロー君とジャック君が擦り寄っていた。彼らは尻尾《しっぽ》を振り、その濡《ぬ》れた鼻先をしきりにひくつかせて、ステッキの匂いを嗅《か》いでいる。私はスタンフォード君から目を離さないよう気をつけながら、ステッキの金具を出鱈目にひねくり回した。ふいにかちりと音がして、ステッキの持ち手が外れた。

ステッキの柄の部分は、思ったとおり、中空になっていた。私は自分のハンカチをポケットから取り出し、それを指に巻いて、ステッキの柄の中に入っているものを慎重に引っ張り出した。

出てきたのは、一フィートほどの長さの、ゴムの棒であった。ちょうど指の太さほどのそのゴム棒は、両端が奇妙な形に曲げられていた。

「なるほど。そういうことでしたか」レストレードが頷《うなず》いて言った。

「これは……なんの騒ぎです」

スタンフォード君が困惑した表情を顔に浮かべ、両手を広げて言った。

「きみたちはいったい何をしている？　二人で何を納得しているんです。僕にはなんのことだか、さっぱりわけが分からない」

「それじゃ、私から説明しましょうか」とレストレードが言った。「あの降霊会のとき、あなたは明かりが消えたあとで、ひそかにこのゴム棒を取り出し、機会をみて――おそらく、ロバート卿《きょう》が頭を叩《たた》かれて手を離したすきに――自分の手と、ゴム棒をすり替えたのです。つまり、あなたの両側の人は、あなたと指をつないでいるつもりが、ゴム棒を握らされていたというわけですよ。これで、あなたは完全に自由に動けるようになった。あなたはあらかじめ、あの降霊会のインチキの仕組みを熟知していたのでしょう。真っ暗闇をいいことに、手探りで霊媒師が使う送話管を探し当て、その管に青酸カリを流し込んだのです」

「ばかな！　だいいち、どうして僕がそんなことをしなくちゃならないんだ」

「さあ、なぜでしょうね？　それはこっちが聞かせていただくことですよ。殺人犯であるあなたから、このあと、署で、ゆっくりとね」

「僕が殺人犯だって！」スタンフォード君は小ばかにしたように鼻を鳴らした。「そこまで言うのなら、証拠はあるんでしょうね」

「証拠は、あのステッキと、中に入っていたゴム棒ですよ。おそらく、指紋が見つかるでしょう」

「指紋？」

「おや、ご存じない？　無理もありません。まだ広く知られた話ではないですからね」レストレードは肩をすくめた。

「最近の研究で、人の指先にある模様、つまり指紋というやつは、終生不変、万人不同ということが分かったのです。なんでも、ある論文によれば〝異なる人物が同一の指紋を共有する確率は六百四十億分の一以下〟ということだそうでしてね。となれば、これを犯罪捜査に使わない手はない。わが警視庁犯罪課にも、昨年指紋班が設立されました。そしてつい先日、九月十三日に行われた『ハリー・ジャクソン事件』の裁判において、英国刑事裁判史上はじめて、指紋が証拠として正式に認められたばかりなのです」

スタンフォド君は一瞬うろたえた様子で目をきょろきょろとさせた。

「そりゃまあ、その指紋とやらは見つかるでしょうよ。何しろあのステッキは僕のものですからね。中に入っていたゴムのおもちゃにも、僕の指紋がついていて当然……」

「誰があなたの指紋と言いました？」

「何？　どういうことだい？」

「私が探しているのは、ゴム棒の両端についているはずの指紋。つまり、ロバート卿とワトスン先生の指紋なのです。降霊会の際にあなたの両側に座っていた人物の指紋がゴム棒の両側につく機会は、殺人が行われた、あのときしかありません。二人の指紋が見つかれば、それはあなたがあの闇の中で、自由に動き回ることができた人物——青酸カリを送話管に流し込むことができた唯一の人物であったという証拠なのです」

スタンフォド君は真っ青になり、口を開け、閉め、また開いて、何か言おうとした。

その瞬間、霧の中から音もなく、白い塊のようなものが飛んできた。それは、あっと思う間もなく、スタンフォド君の顔に向かってまっすぐに襲いかかった。

スタンフォド君はとっさに腕を上げて顔を覆い、立て続けに悲鳴を上げた。

私たちは我に返り、慌ててスタンフォド君に駆け寄った。だが、私たちが救いの手を差し伸べるより早く、白いその異形のものはスタンフォド君を離れ、羽音とともに中空高く舞い上がった。

私は空を見上げ、異形のものの正体に気づいた。それは、見たこともないほど巨大な、そして雪のように美しい羽をもつ、一羽の白フクロウであった。

次の瞬間、私はフクロウがその手（足？）に、しっかりとあの赤ダイヤをつかんでいるのを見た。

「ちくしょう、奴のフクロウだ！」

スタンフォド君は両方の拳《こぶし》を頭の上で振り回し、フクロウを指さして叫んだ。彼の両頬には、フクロウの爪にやられたらしい三本の傷がつき、赤い血が流れ出ている。

「警部さん、何をしている！　あれは奴の――あの黒い顔の男のフクロウだ！　だから早く、早くあいつを捕まえて！」

レストレードは、スタンフォド君が振り回す、その手を捕らえて言った。

「やれやれ。やはりあなたには、どうあっても一度署に来て、説明をしていただかなくてはならないようですな」

「何を言っている？　だから、今はそれどころじゃないと……」

「いいですか、スタンフォドさん」レストレードは相手の言葉を無視して言った。「あなたはさっき、あの男に初めて会ったと言ったのです。『初めて見た顔だ』とね。それなら、あなたはなぜ、あのフクロウが彼のものだと知っているんです？」

スタンフォド君は急にぽかんとした顔になり、左右を見回し、制服警官が辺りを取り囲んでいるのに気づくと、がくりとうなだれた。

「私は、事件が起きた当初から、あなたを疑っていたんですよ」

レストレード警部は、スタンフォド君の両手に手錠をかけると、相手の肩を軽く叩いて、教えさとすように言った。

警部は制服警官を呼び、スタンフォド君を署に連行するよう命じた。

「もうちょっとで士爵の称号を貰《もら》うはずだったお人だ。丁寧にお連れするんだぞ」

レストレードはそう言うと、また別の若い巡査を呼びつけ、

「さっき逮捕した……おや、弱ったたな。ほら、あの黒い顔の、姓名不詳の男を釈放したまえ。こうなったらもう、彼を捕まえておく理由はないからな」

若い巡査は、ちょっと妙な顔で命令を聞いていたが、たちまち霧の中に駆け出していった。と、すぐにまた、彼は走って戻ってきた。

「なんだ？　命令を忘れたのか？」レストレードが呆《あき》れた様子で尋ねた。

「そうではありません」若い巡査は、なぜかいっそう妙な顔になって言った。「ですが、

黒い顔の男はもういないのであります」

「おや、すでに釈放していたのか？」

「釈放したというか……無理やり、させられたというか……」

「どういうことだ？」

「それが……」と巡査は上目づかいに、口ごもりながら言った。「じつは……一人の若い紳士が霧の中から現れて……よく見ると、男の格好をした若い女だったのですが……その女が突然警官に銃を突きつけて……黒い顔の男を無理やり解放……させたのだそうであります」

「なんだって！」

私はとっさに、隣りにいたナツメと顔を見合わせた。私が——ナツメもそうだろうが——思い出したのは、「自転車に乗るときは男装することもある」と言い、また「いつもこれを携帯することにしていますの」と言って、ハンドバッグに忍ばせた護身用のピストルを取り出したキャスリーン嬢の姿であった。

「それで、二人はどうしたのだ？」

私は身を乗り出すようにして尋ねた。若い巡査は、言ってしまって、やけくそになったように声を上げた。

「二人は、まるで恋人同士のように、手に手を取り合って、どこかに姿を消してしまいました！」

ナツメがひと声あっ、と叫び、その場に倒れて、気を失ってしまった。

# 15　シャーロック・ホームズ君

ホームズと私はベーカー街の例の一室で、いつものひじ掛け椅子に座り、パイプをやりながら、暖炉を挟んで向かい合わせに座っていた。スコットランドの名士ディクソン氏の依頼で死者から届いた脅迫状の謎を調査するため、かの地に出張していたホームズが事件を無事解決し、ロンドンに戻ってきたのは、スタンフォード氏が偽霊媒師殺しの容疑で逮捕された二日後のことであった。

私はホームズに、まだ知らせていなかった事件の細かい点について話して聞かせた。例えば、あの夜、若い巡査から、キャスリーン嬢と黒い顔の男が手を取り合って出奔したと聞いて昏倒《こんとう》したナツメは、私が馬車に乗せて下宿に連れ帰るあいだずっとうわ言を口にしていたが、馬車を降りるころにはひどい熱を発していた。下宿では、リール姉妹が代わる代わる、意識のないナツメのシャツを取り替えたり、水を飲ませたり、風を送ったり、大騒ぎであった。ナツメはひと晩大熱を発したあと、朝になると、憑《つ》き物が落ちたような、ぼんやりとした顔で私に礼を言った。

「ありがとうございます。ですが、もう大丈夫です。どうかお帰りください」

ひどく他人行儀なその口調に私が戸惑っていると、ナツメはため息をついて言った。

「リールさん姉妹は、あのとおり、二人とも大袈裟《おおげさ》なんですよ。医者に来てもらうほどじゃない。ちょっと風邪をひいただけですからね」

私は慌ててナツメの目をのぞき込んだ。そしてそこに、今度こそ穏やかな、澄んだ理性の光を確認して、帰ってきたのである。

「ナツメ氏にはすこし気の毒なことをしたね」ホームズはパイプを口から離して言った。

「おそらく彼の精神は、今度受けた衝撃に耐えられなかったのだろう。だから、全部忘れてしまうことにしたんだ」

「医学的な見地から言わせてもらえば、人間が記憶を失うことはないよ。ただ、取り出すことができなくなるだけなんだ」

「取り出すことができなければ、失われたのも同じことだよ」

ホームズはそう言うとまたパイプをくわえ、しばらくは、おそらくは無意識に、時計の鎖につけたソブリン金貨を指先でひねくり回していた。その金貨こそは、まことに奇妙ないきさつによって、故アイリーン・アドラーからホームズが直接手渡されることになった、いわくつきの品である。私は、ホームズの追想——私はすでにアイリーンが南アフリカで死んだらしいことを彼に告げていた——を妨げてはいけないと思い、じっと黙っていた。

ホームズはふと、私の視線に気づき、にやりと笑って言った。

「どうやらキャスリーン嬢は、日本から来たナツメには〝理想の女性〟に見えたらしいね。

残念ながら僕は尊顔を拝することができなかったが、そんなに美人だったのかい？」

「そりゃ、あのアイリーン・アドラーの妹だからね」

「ふん」とホームズはひとつ鼻を鳴らし、彼独特の思案げな、遠くを見るような目になって言った。

「それじゃワトスン君、ここまでのきみの話を整理してみるよ。間違っていたら教えてくれたまえ。まず、ロンドンに来たナツメは、ある日理想の女性を見かけた。それがキャスリーン嬢だ。しかし、ナツメは彼女との恋はけっして実らないと考えた。なぜなら彼は、自分が白人でないから、習慣が異なるから、顔にアバタがあるから、背が低いから、彼女に選ばれるはずがないと思ったのだ。また、ちょうどそのころ、ナツメにはさまざまな心労が押し寄せていた。異国ロンドンで感じる疎外感、日本の未来、東洋と西洋、英文学と日本の文学、その理想と現実、それから日本で重い病に臥《ふ》せている友人シキのこともある。

そんなとき、彼は、クレイグ博士の勧めに従って通俗小説を読みあさり、その結果、すべてを一時に解決する妙案を思いついた。つまり、それが虚構のなかに逃げ込むことだった。彼が〝シャーロック・ホームズ〟を選んだのは偶然だろう。……いや、もしかすると彼の優れた読書眼は、きみが発表する物語こそが、今日のロンドンを代表する小説だと考えたのかもしれないね」

「そんなこともあるまい」ホームズの予期せぬ賞賛に、私はちょっと顔を赤くして言った。

「そんなことより、早く話の続きを聞かせてくれたまえ」

んだ。

「続きも何も、僕はこの事件の経緯をみんな、きみからの手紙で知ったんだぜ」

「そういえば、そうだ」私は苦笑して言った。「ところで、手紙といえば、この手紙をどうしたものかね」

私はテーブルの上に広げておいた手紙を取り上げた。それは、キャスリーン嬢から今日、ベーカー街宛に届いたものであった。私は今一度、声に出して、そこに書かれた文字を読んだ。

シャーロック（ナツメ）ホームズさま

下宿の住所を知りませんので、こちらにお送り致しました。

このたびは突然ロンドンを出発することになり、あなたさまにはご挨拶《あいさつ》することもできず、大変心苦しく思っております。ナツメさん、あなたは、わたくしがしたことをあとで聞いて、さぞや驚かれたことでしょう。警官に拳銃《けんじゅう》を突きつけて無理やり虜囚を解放させるなんて、淑女《レディ》のすることではございませんものね。でも、あのときはああするより仕方がありませんでしたのよ。

彼は、南アフリカの勇敢な部族、ズールー族の若者なのです。彼は、英語を少しも解さないにもかかわらず、姉アイリーンの依頼で義兄を裏切った者を探し出し——詳しくは申しませんが——幾多の危険にあいながら、命懸けでイギリスに渡って、真相をわたくしに伝えてくれたのです。

義兄を売った裏切り者の名は――。この手紙が着くころには、とっくにご存じのはずですわね。

わたくしの隣りには今、あのズールー族の若者がいます。わたくしは彼とともに、亡き義兄の遺志を受けつぎ、アフリカと、そしてアフリカ人の未来のために、生涯をかける覚悟です。

ナツメさん、あなたがロンドンでわたくしに示してくださいましたご親切はけっして忘れません。あるいは近い将来、アフリカと東洋が肌の色を超えて団結し、今日ある白人優位の社会に異を唱えることもあるでしょう。そのときにまたお会いできる日を楽しみにしていますわ。

あなたが留学の残りの時間をロンドンで楽しく過ごせますよう、遠く南アフリカからお祈りしております。

追伸　昨夜、あなたが誰かよい方と自転車にお乗りになっているところを、夢に見ましたわ。

めでたくかしこ
キャスリーン・アドラー

「まったく、あの姉にしてこの妹ありだね！」ホームズが痛快そうに声を上げた。「心のこもった、そして残酷な手紙だよ。いや、この手紙はナツメに見せるわけにはいくまい。それは慈悲心のない行為というものだ。それにしても〝誰かよい方と自転車にお乗りになっているところを、夢に見ましたわ〟とはね」

「ナツメは、自転車には二度と乗りたくないそうだ」私は手紙を折り畳み、テーブルの上に戻して言った。「下宿に送っていく馬車の中で、ナツメはうわ言で何度もそのことを繰り返し言っていたよ」

「仕方あるまい。彼の〝理想の女性〟は、しかし彼の想いを裏切って、彼より顔が黒く、彼より背の低い男を選んだのだ。ナツメには、彼女が黒い顔の男と姿を消したと聞いた瞬間、そのことがちゃんと分かった。時には推理より、直感の方が正しい事実を教えることもある。これなんかは、まさによい例だよ」とホームズは小さく首を振り、「今度のことで、ナツメ氏がロンドンを、ひいてはイギリスという国を嫌いにならなければと思うよ」

「少なくともきみは、きみのできることをみんなやったさ」私は人差し指を立てて言った。

「ナツメは、今ごろはきっと、この憂鬱《ゆううつ》の街ロンドンを離れ、スコットランドの美しい景色を存分に楽しんでいるはずだよ」

「そうだといいのだがね」

ホームズはパイプをくわえたまま、もの思わしげに眉《まゆ》を寄せた。

私には、この件に関してホームズが珍しく人情味を発揮するのが、おかしくて仕方がなかった。何しろホームズは、事件を解決してあげたばかりのディクソン氏に話して、彼と入れ違いにナツメをスコットランドのディクソン氏の邸宅に招待して貰《もら》うよう頼んできたのだ。しかも、くれぐれもホームズの名前は出さないよう依頼する気の配りようである。リール姉妹によれば、招待を受けたナツメは、はじめこそ訝《いぶか》しがる様子であったが、「往復の旅費を含め一切の費用をディクソン氏の側で負担すること」また「これは日本に興味をもつイギリス人の純然たる好意である」という申し出を聞いて、喜んで出かけていったということである。

「それにしてもホームズ、きみ自身は遠くスコットランドにいながら、僕の手紙だけでよく事件の真相を見破れたものだね」私はホームズのいつもながらの見事な手際に舌を巻いて言った。「僕もレストレードも、ずっとこのロンドンにいながら、事件について何も分かっていなかったのだから、いやになる。あのときだって、きみからの伝言を見つけなかったら、どうなっていたか、考えただけで恐ろしくなるよ」

私はポケットから小さく四つ折りにした紙片を取り出し、しわを伸ばして机の上に広げた。あの夜、私がハンカチを取り出そうとして、上着のポケットに見つけたその紙切れには、見慣れたホームズの文字で、こう書かれてあった。

犯人はいかにして自由に動き回ったのか？
ステッキの中に端の曲がったゴム棒を探せ。指紋に注意。

「さすがの僕も、このメモを見ては、遅ればせながら事件の真相に気がついたというわけだ。ちょうど先日、きみから指紋についての講義を聞かされたばかりだったしね」

「レストレードはずいぶん自慢げにしゃべっていたようだが、インドや日本、中国といった国々では何百年も前から、指の印影が一種の署名として使われていたのだ。この問題の研究では、わが国の方がよほど遅れているのさ」

「ところで、僕にはまだ分からないのだが」思いついてホームズに尋ねた。「このメモは、いつの間に、いったいどうやって僕のポケットに届けられたのだい？」

「ベーカー街遊撃隊《ベーカー・ストリート・イレギュラーズ》を使ったんだ」ホームズは神経質そうに顔の前で手を振って言った。「向こうの事件に必要な資料があったので、ウィルキンズ少年に頼んでスコットランドにまで持ってきて貰ったのだ。彼が帰るついでにこのメモを預けたのだよ。電報を使うより安全だし、しかもよほど確実だからね」

「全然気がつかなかった」

「ウィルキンズはこう報告してきたよ。『ドクターは、まるで酔っ払いみたいに、ふらふらと歩いていました』とね」

そう言われて私は、紫のドレスの女のあとをつけていたとき、途中で浮浪者風の少年とぶつかりそうになったことを思い出した。

「酔っ払いとはひどいな」私は苦笑した。「ところでホームズ、きみはどうやって今回の事件の真相を知ったのだ？　何かまだ僕の知らない秘密があるのかい」

「秘密なんかあるものか。重要な手がかりはみんな、きみの手紙から得たのだ。きみはそれをちゃんと書いてきていたよ」

「まさか。そんなはずはあるまい」

「じゃあ聞くがね。きみは手紙で、ナツメ氏が降霊会のあと、床を這《は》いまわり、小さな虫を見つけたときのことを〝椿の花が小さな虫を伏せていた〟と書いてきたじゃないか。おかげで僕は誰を疑うべきかを知り、またすっかり犯人の手口が分かったのだ。きみだって、まさかあれを全然知らずに書いてよこしたわけじゃあるまい」

「椿の花？　虫だって？」私は危うく口にしたパイプを落とすところであった。「きみはまたどんな冗談を言い出すんだ。僕には何がなんだか、さっぱりわけが分からない」

「冗談なものか。やれやれ。僕はまたてっきり、きみがあれを知っていて——つまり、僕が最近新聞に発表した、小さな論文を踏まえて書いてよこしたのだと思ったのだがね」

「というと、『空気中を落下する剛体の運動について』という、あの論文だね」

「そうさ。僕はあの論文のなかで、いくつかの特殊な形の物体落下の特徴を論じておいた。そのなかには、紙で作った円錐状物体《コーン》の落下特性も含まれているのだ。ところで椿の造花は、まさに紙製の円錐状物体であり、しかも——ナツメはいみじくも『日本では首が落ちるといって嫌われる』と言ったそうだが——ひとつの塊、つまり〝剛体〟として落下する。

詳しい実験結果は僕の論文に書いてあるが、紙製の円錐状剛体は、およそ四十センチの高さを境に、それ以上の高さから落ちたときは必ず先の尖《とが》った方——椿の花でいえば芯《しん》の方――が下にくるという特性があるんだ。きみは手紙に〝椿の花が虫を伏せていた〟と書き、さらにあとで、ご丁寧にも、〈落ちざまに　虫を伏せたる　椿哉《かな》〉などというハイクまで書いてきたのだ。これで僕が真相を見抜けないとしたら、それこそどうかしている。僕ははっきり、きみが椿の花と甲虫の関係から〝降霊会のあいだ、造花を生けたいずれかの花瓶が、何者かの手によって椅子のわきの台から床に下ろされていた〟と見抜き、そのことを僕に伝えてきたと思ったのだがね。

僕は念のために電報を打ち〝ナツメが床の上に椿を見つけたとき、きみの顔は左右どっちを向いていたか〟と尋ねてみた。するときみは手紙で〝顔は右手の方を向いていた〟と答えてきた。それで僕は、花瓶を床に移動させたのは、きみの右隣りに座っていた人物、つまりスタンフォドだったと確信することができた。

といっても、この時点ではまだ、彼がなぜそんなことをしたのか、またこれが何を意味するかは、僕にもはっきりとは分からなかった。そこで僕は今度はレストレードに電報を打ち、被害者が服毒したときの状況を詳しく教えて貰ったのだ。すると毒薬は、はじめに考えられていたように送話管のくわえ口に塗られたのではなく、管の別の端から流し込まれたものだというじゃないか。これで、降霊会が行われた際、闇の中で何が起きたのかは、手に取るように明らかになったわけだ。つまり、犯人が花瓶を台から床に下ろしたのは、自分が台の上に乗って造花のなかに隠された送話管の一方の端を探すためであったとね。

次に解決すべき課題は、降霊会の参加者同士が両手をつないだなか、犯人一人がいかにして自由に動き回ることができたのか、そのトリックを暴くことだった。ところが、きみの手紙をもう一度読み返すと、犯人には一度完全に手を離す機会があったことが分かった。するとこれはきっと、昔からよくある手が使われたに違いない。両側の人物に、指に似せたゴム棒を握らせる、あのやり方だよ。正直なところ、これには僕はちょっとがっかりした。僕はもっと複雑巧妙なトリックを期待していたのだ。

だが、事実は事実として仕方がない。残る問題は、犯人がトリックに使ったゴム棒をどうやって外に持ち出したかだ。なにしろきみの手紙では、ホテルの中は警察の手でくまなく調べられ、降霊会の参加者は――途中で姿をくらましたエミリー嬢を除く――全員が、身体検査を受けたというのだからね。だが、僕はこの点に関しても、あまり期待してはいなかった。なぜって、なるほど警察は目に見える部分は丁寧に調べただろうが、哀れなことに、連中は探し方というものを知らないからね。もし才能のある人物――例えば僕がその気になれば、何十人もの警官たちが見守る目の前を、象のような大きなものでも、それと気づかれずに堂々と運び出すことが可能なのだ。ところが、僕は違う。案の定、パイプを一服する間ももたなかった。きみは最初の手紙のなかで、スタンフォドのステッキが中国製であること、彼がそれをロンドンの古物屋で手に入れた事実を書いている。僕は、ドイツの盲目の機械技師フォン・ヘンデルがモリアティ教授の注文で作った恐るべき空気銃を知っているが、中国人の細工技術だってドイツ人にはけっして劣るものじゃない。彼らはよく、思いもかけない場所に、思いもかけない細工をして喜んでいるんだ。僕はすっかり確信した。この事件には中空細工を施したステッキが使われたのだと。そして同時に、そのステッキこそが犯人にとって致命的な証拠となるだろうということがね。そこで僕はまたレストレードに電報を打って、スタンフォドをひそかに監視させた。もし彼がステッキを処分しようとしたら、ただちに回収するよう言っておいたのだ。もっともレストレードは、きみがステッキの中からゴム棒を取り出すまで、僕が何を指示したのかよく分かっていなかったようだがね」

「ちょっと待ってくれ」私は急いで割り込んだ。「きみの話で犯罪がどうやって行われたのかはよく分かった。しかし、スタンフォドはなぜあの偽霊媒師を殺さなくちゃならなかったんだ? 動機が分からないな。なにしろ彼は、もうすぐ士爵に叙せられることになっていたんだぜ。そんな人物がなぜ罪を犯さなくちゃならなかったんだ?」

「きみが今言ったことこそが動機だよ。士爵に叙せられるはずだったことがね」ホームズはそう言って、ちょっと顔をしかめた。

「ワトスン君、きみはなぜスタンフォドが勲章を貰《もら》うことになったか知っているかい?」

「それなら、このあいだの戦争での活躍を認められたからだろう。彼は、従軍記者として南アフリカに赴き、いったんは敵の捕虜となりながら、すきを見て敵陣を脱走した。のみならず、彼はその経緯を新聞に書いて味方の戦意を高らしめたんだ。こんど彼が犯した忌まわしい殺人のことはともかく、彼の戦争中の働きは充分勲章に値する行為だよ」

「ところが事実はそうではなかったのだ。彼はなるほど、戦争中、従軍記者として南アフリカに赴き、敵の捕虜となりながら、脱走し、そのことを記事に書いた」

「どこが違うのだい？」

「事実は、それだけではなかったのさ。僕はさっき警視庁に行って、レストレードから取り調べの様子を聞いてきたのだがね。スタンフォードは観念したらしく全部話したそうだ。彼が南アフリカで敵の捕虜になったときに行ったことを全部。彼は自分が助かるために、同じイギリス人であるゴッドフリー・ノートンを売ったのだ。

ノートン氏は当時、ブーア人たちのあいだにいて、イギリス人ながら相当の尊敬を受けていたらしい。彼は、捕虜として連れてこられたスタンフォードに同情し、何かと面倒をみてくれたそうだ。さらにノートン氏は、スタンフォードが新聞記者だと知ると、彼がアフリカの人たちのために行っているさまざまな活動を話して聞かせた。ノートン氏はまた、同じころ、スタンフォードをズールー族の若者に引き合わせた。おそらく、彼らの生活をイギリスの新聞に書いて貰い、国内の良心的イギリス人の協力を得ようと考えたのだろう。ところが、スタンフォードはその情報を逆手に取り、敵方――つまりブーア人たちに対して、あたかもノートン氏がイギリスのためのスパイを行っているかのごとく、密告したのだ。

その結果、ノートン氏がスパイとして捕らえられる一方、スタンフォードはひそかに解放された。しかも彼はその際、厚かましくも、ノートン氏を通じて、ズールー族の若者に道案内を頼むことまでしている。

ズールー族の若者に案内されて、彼は無事にイギリス側の領地まで逃げ帰ることができた。ところが彼は、そのときにズールー族の若者から部族の秘宝である巨大な赤ダイヤを盗み去ったのだ」

「信じられないな。スタンフォドはなぜそんなことをしたのだろう?」

「彼はレストレードにこう言ったそうだ。『僕はあの男に全面的に世話になった。食べる物から、寝る場所まで、奴がいなかったら、おそらく一日として生き延びることはできなかっただろう。あそこでは僕はまったくの無力だった。それが耐えられなかった。自分の死命が、こんな黒い顔の男に握られているのがどうしても許せなかった。そこで僕はひょいと思いついた。部族の秘宝を奪って逃げれば、きっとこいつはロンドンにまで追ってくるに違いない。ロンドンでなら、こいつに勝てる』と。

ところがロンドンに帰ってくると、スタンフォドは自分でも思いがけず、英雄扱いを受けることになった。士爵に叙せられる話まで出る。そのたびにスタンフォドは、逆に追い詰められていったんだ。高みに上れば上るほど、南アフリカでの己の恥ずべき行為が、いつか暴かれるのではないかと気が気ではなかった。

やがて彼は、自分が売ったゴッドフリー・ノートンの義妹、キャスリーン・アドラーがイギリスに渡ってきたことを知った。スタンフォドは、彼女が自分の秘密を知っていて、それを暴露するのではないかと恐れた。そこでひそかにキャスリーン嬢をつけ回し、彼女の行動を見張っていたのだ。

もっともこんなことは、スタンフォドの自白を待たずとも、きみが送ってくれた報告書を読んですぐに気がついたがね。なぜって、ワトスン君、きみは〝ナツメはいつも誰かの眼差《まなざ》しを気にしている〟と書いてきたし、彼自身日記に〝尾行などするのは探偵ばかりだ。飼い犬でさえ、ひと足先に行って用を足す〟と書いていたじゃないか。きみはこういったことを、ナツメの妄想が言わせる意味のないたわ言だと思ったようだが、しかし妄想にはちゃんと妄想の理由があるのだよ。つまり、ナツメは〝夢の女性〟の面影を求めてロンドン中を歩き回り、ところが一方でスタンフォドもまたキャスリーン嬢を見張っていたから、ナツメはまるで自分がいつも誰かに見られているような気がしたのだ。スタンフォドにとって、ナツメの存在は目障りだった。だから彼は人を雇って、何度かナツメを脅させた。そのことはナツメの日記にも書いてあったし、一度などはきみと一緒のところを襲われたんだったね。それでも彼はキャスリーン嬢のあとを追うのを諦《あきら》めなかったんだから、エライといえばエライんだろうね。

ともかく、そんな状況のなか、あの降霊会が開かれることになった。招待状が送られてきたとき、スタンフォドはひどく焦ったに違いない。彼は職業柄、ローラ婆さんの開くインチキ降霊会の正体を知っていた。〝ローラ婆さんは、自分の秘密を知って、強請《ゆすり》をかけようとしているのではないか？〟疑心暗鬼に陥っていたスタンフォドがそう考えたのも、無理はあるまい。彼は万が一に備えてインチキ降霊会の仕組みを調べる一方、青酸カリを手に入れた。

だが僕は、ローラ婆さんはやはりロバート卿《きょう》を強請《ゆす》ろうと考えていたのだと思う。きみが手紙で教えてくれた、降霊会で聞こえたという女の声は、おそらくロバート卿が書いた『悲劇の王女ジェーン・グレーの最期』から採られたものだろう。ロバート卿は、自分が女装して主役を演じていることを妻のレディ・オズボーンに、なんとしても知られたくなかった。ローラ婆さんは、あとでそのことをネタに、ロバート卿から小銭を強請り取るつもりだったんだ。

ところがここで、強請る側に思いもしなかった事態が生じた。というのも、ロバート卿がジェーン・グレーの最期の言葉として選んだ台詞《せりふ》――『裏切ったのは、あなた』というあの台詞は、一心にやましいことのあるスタンフォドの耳に、あたかも自分の罪を糾弾する声に聞こえたのだ。スタンフォドは一刻の猶予もならず、計画を実行に移した。彼は、偽霊媒師を黙らせるために、青酸カリを送話管の端から流し込んだ。いうなれば今回の犯行は、彼が事態を誤認したために実行されたものだったのだ」

ホームズの話を聞いて、私は首を振るしかなかった。

「スタンフォドとは長いつき合いだが、僕は彼を、落ち着きのない人物とは思ったが、そんな卑怯《ひきょう》な人物だとは思っていなかったよ」

「勘違いしちゃいけない、ワトスン君」ホームズがパイプを口から離して言った。「彼はなにも特別な存在じゃない。僕たちのどちらかが、彼であってもおかしくなかったのだ。〝ダーダー・ファブラ〟。ナツメたちはハイクの会を始める前に、いつもそう唱えているそうじゃないか。〝名前を変えれば、お前についての話なのだ〟。このラテン語の格言を、僕たちもこれからはときどき唱えて、肝に銘じることにしたいね。ごくささいな運命のいたずらが、僕たちとスタンフォドの、二つの道を分けただけだ。それは、人知の及ばぬ、神秘の領域に属する問題なのだよ。ほかになにか重要なことで、僕が言い忘れたことがあるかな？」

私は少し考えて尋ねた。

「あの黒い顔の男は、なぜすぐにキャスリーン嬢と連絡を取らず、わざわざ倫敦塔なんかにひそんでいたんだろう？」

「英語を少しも解さなかったためだよ」ホームズは言った。「彼はロンドンに来てキャスリーン嬢を見つけようとしたが、連絡を取るすべがなかった。おそらくあの男は、ロンドンに来たものの、まさかこれほどたくさんの人間が一か所に集まっているとは思ってもいなかったんじゃないかな？　一方——キャスリーン嬢は手紙のなかでは明言を避けていたが——彼は法を犯してこの国に入った密航者だろう。官憲に見つかれば、有無を言わせず本国に送り返されてしまう。そこで彼は、昼間は姿を隠し、夜のあいだキャスリーン嬢を探して歩いた。見つかればそれでよし、見つからなくとも、彼の噂を聞きつけて、彼女の方から探しにきてくれると思ったのだ。そのあいだの隠れ家に倫敦塔を選んだのは、フクロウのためだろうね」

「フクロウ？」

「スタンフォドから見事に赤ダイヤをせしめて飛び去ったという、あの白フクロウだよ。

なにしろフクロウというやつは、自分で捕らえた、生きた獲物しか食べないからね。もしかするとアフリカに育ったあの黒い顔の男にとって、倫敦塔は洞穴のたくさんある岩山のように見えたんじゃないだろうか。となれば、自分の身を隠す以上に、彼の飼っているフクロウにとっては格好の餌場《えさ》所だからね。倫敦塔を選んだのはそういう理由だと思う。それにしても、今回の事件の関係者がみんな、吸い寄せられるように倫敦塔に集まっていったのは、まったく不思議なくらいだ。これがもし半世紀も前の話だったら、その点にまさに神秘を見出《みいだ》したことだろう。今日の我々は、それを偶然と呼んでいるがね」

ホームズはそう言うと、膝《ひざ》の上に広げていた紙片を取り上げ、それを振って言った。

「ねえ、ワトスン君、僕はさっきからナツメの日記を読んでいたんだが、ナツメは無言劇《パントマイム》をひどく推奨しているね。『眠りの森の美女』？　というと、バレエのことだね。なんだか僕はこのバレエ劇がむしょうに観たくなってきたよ」

「そう言うと思ってね」私は片目をつむり、ポケットから切符を二枚取り出した。「ちょうど今夜、ジェイムズ会館で再演があるんだ。今から行けば、まだ開幕に間に合う」

ホームズはちょっと驚いた様子であった。私はひとつ咳払《せきばら》いをし、いつもの彼の声色を真似て言った。

「帽子を被《かぶ》りたまえ、ホームズ君。帰りにはマルチーニに寄って夜食を食べてこようよ」

主要参考文献

『ミステリ・ハンドブック　シャーロック・ホームズ』D・ライリー&P・マカリスター編　原書房
『シャーロック・ホームズ事典』J・トレイシー　すずさわ書店
『超能力マジックの世界』松田道弘　筑摩書房
『夏目金之助ロンドンに狂せり』末延芳晴　青土社

ホームズに関する記述については新潮文庫版（延原謙訳）を、また夏目漱石については岩波書店『漱石全集』を底本としています。

ある時は猫になりきったナツメ先生が、今度はシャーロック・ホームズに変身。ワトスンと共に、解決すべき難事件は虚実入り混じる降霊会で起きた密室殺人。見事に事件を解決とスムーズにいくわけは…何しろナツメ先生がホームズになったと思いこんでいるのだから。事件はなんだかややっこしい事に。まじめになりきっているナツメ先生の推理ははたしてどうなるのか。柳さんの描く、当時の雰囲気を堪能した後は、柳さんの他の作品を読むのもよし、ホームズ物を読むのもよし、ナツメ先生の小説を読むのもよし。とさらなる世界が広がる楽しみをも持ち合わせた楽しい読書時間を過ごすことができること間違いなしの一冊です。

# 吾輩は夏目金之助である

本書は、二〇〇五年十二月、小学館より
刊行された単行本を文庫化したものです。

# 吾輩《わがはい》はシャーロック・ホームズである

柳広司《やなぎこうじ》

平成21年 9月25日　初版発行
令和7年 3月5日　17版発行

発行者●山下直久

発行●株式会社KADOKAWA
〒102-8177　東京都千代田区富士見2-13-3
電話　0570-002-301（ナビダイヤル）

角川文庫 15898

印刷所●株式会社KADOKAWA
製本所●株式会社KADOKAWA

表紙画●和田三造





●お問い合わせ
https://www.kadokawa.co.jp/（「お問い合わせ」へお進みください）
※内容によっては、お答えできない場合があります。
※サポートは日本国内のみとさせていただきます。
※Japanese text only




ISBN978-4-04-382903-3　C0193

# 角川文庫発刊に際して

角川源義

第二次世界大戦の敗北は、軍事力の敗北であった以上に、私たちの若い文化力の敗退であった。私たちの文化が戦争に対して如何に無力であり、単なるあだ花に過ぎなかったかを、私たちは身を以て体験し痛感した。西洋近代文化の摂取にとって、明治以後八十年の歳月は決して短かすぎたとは言えない。にもかかわらず、近代文化の伝統を確立し、自由な批判と柔軟な良識に富む文化層として自らを形成することに私たちは失敗して来た。そしてこれは、各層への文化の普及滲透を任務とする出版人の責任でもあった。

一九四五年以来、私たちは再び振出しに戻り、第一歩から踏み出すことを余儀なくされた。これは大きな不幸ではあるが、反面、これまでの混沌・未熟・歪曲の中にあった我が国の文化に秩序と確たる基礎を齎らすためには絶好の機会でもある。角川書店は、このような祖国の文化的危機にあたり、微力をも顧みず再建の礎石たるべき抱負と決意とをもって出発したが、ここに創立以来の念願を果すべく角川文庫を発刊する。これまで刊行されたあらゆる全集叢書文庫類の長所と短所とを検討し、古今東西の不朽の典籍を、良心的編集のもとに、廉価に、そして書架にふさわしい美本として、多くのひとびとに提供しようとする。しかし私たちは徒らに百科全書的な知識のジレッタントを作ることを目的とせず、あくまで祖国の文化に秩序と再建への道を示し、この文庫を角川書店の栄ある事業として、今後永久に継続発展せしめ、学芸と教養との殿堂として大成せんことを期したい。多くの読書子の愛情ある忠言と支持とによって、この希望と抱負とを完遂せしめられんことを願う。

一九四九年五月三日

## 柳 広司の好評既刊

# ジョーカー・ゲーム

**吉川英治文学新人賞&**
**日本推理作家協会賞W受賞作！**

「魔王」——結城中佐の発案で陸軍内に極秘裏に設立されたスパイ養成学校〝D機関〟。「死ぬな、殺すな、とらわれるな」。この戒律を若き精鋭達に叩き込み、軍隊組織の信条を真っ向から否定する〝D機関〟の存在は、当然、猛反発を招いた。だが、頭脳明晰、実行力でも群を抜く結城は、魔術師の如き手さばきで諜報戦の成果を上げてゆく。東京、横浜、上海、ロンドンで繰り広げられる、究極のスパイ・ミステリー。

角川文庫　ISBN 978-4-04-382906-4

## 柳 広司の好評既刊

### ダブル・ジョーカー

**「ジョーカー・ゲーム」シリーズ第二弾**

結城中佐率いる〝D機関〟の暗躍の陰で、もう一つの諜報組織〝風機関〟が設立された。だが、同じカードは二枚も要らない。どちらかがスペアだ。D機関の追い落としを謀る風機関に対して、結城中佐が放った驚愕の一手とは——。表題作「ダブル・ジョーカー」ほか、〝魔術師〟のコードネームで伝説となったスパイ時代の結城を描く「柩」など5篇に加え、単行本未収録作「眠る男」を特別収録。天才スパイたちによる決死の頭脳戦、早くもクライマックスへ——。

角川文庫　ISBN 978-4-04-100328-2

## 柳 広司の好評既刊

# ラスト・ワルツ

「ジョーカー・ゲーム」シリーズ第四弾

華族に生まれ陸軍中将の妻となった顕子は、退屈な生活に倦んでいた。アメリカ大使館主催の舞踏会で、ある人物を捜す顕子の前に現れたのは――(「舞踏会の夜」)。ドイツの映画撮影所、仮面舞踏会、疾走する特急車内。帝国陸軍内に極秘裏に設立された異能のスパイ組織〝D機関〟が世界で繰り広げる諜報戦。ロンドンでの密室殺人を舞台にした特別書き下ろし「パンドラ」収録。加速する頭脳戦、ついに最高潮へ!

角川文庫　ISBN 978-4-04-104023-2

## 柳 広司の好評既刊

# 漱石先生の事件簿　猫の巻

**「だって君、書生だろ？」**
**変人の先生と、日常の謎。**

探偵小説好きの僕はひょんなことから先生の家に書生として住み込むことになった。先生は癇癪持ちで、世間知らず。書生の扱いときたら猫以下だ。家には先生以上の〝超変人〟が集まり、次々に奇妙奇天烈な事件が舞い込んでくる。後始末をするのは、なぜかいつも僕の仕事だ。先生曰く「だって君、書生だろ？」。『吾輩は猫である』の物語世界がミステリーとしてよみがえる。ユーモアあふれる〝日常の謎〟連作集。〈解説・田中芳樹〉

角川文庫　ISBN 978-4-04-382904-0

柳 広司の好評既刊

# 贋作『坊っちゃん』殺人事件

名作の裏に浮かび上がる、もう一つの物語。

四国から東京に戻った「おれ」――坊っちゃんは元同僚の山嵐と再会し、教頭の赤シャツが自殺したことを知らされる。無人島〝ターナー島〟で首を吊ったらしいのだが、山嵐は「誰かに殺されたのでは」と疑っている。坊っちゃんはその死の真相を探るため、四国を再訪する。調査を始めたふたりを待つ驚愕の事実とは？『坊っちゃん』の裏に浮かび上がるもう一つの物語。名品パスティーシュにして傑作ミステリー。

角川文庫　ISBN 978-4-04-382905-7

## 柳 広司の好評既刊

# トーキョー・プリズン

### 探偵小説で切り込む戦後史

戦時中に消息を絶った知人の情報を得るため巣鴨プリズンを訪れた私立探偵のフェアフィールドは、調査の交換条件として、囚人・貴島悟の記憶を取り戻す任務を命じられる。捕虜虐殺の容疑で拘留されている貴島は、恐ろしいほど頭脳明晰な男だが、戦争中の記憶は完全に消失していた。フェアフィールドは貴島の相棒役を務めながら、プリズン内で発生した不可解な服毒死事件の謎を追ってゆく。戦争の暗部を抉る傑作長編ミステリー。

角川文庫　ISBN 978-4-04-382902-6

柳 広司の好評既刊

# 新世界

殺すか、狂うか。

1945年8月、砂漠の町ロスアラモス。原爆を開発するために天才科学者が集められた町で、終戦を祝うパーティーが盛大に催されていた。しかしその夜、一人の男が撲殺され死体として発見される。原爆の開発責任者、オッペンハイマーは、友人の科学者イザドア・ラビに事件の調査を依頼する。調査の果てにラビが覗き込んだ闇と狂気とは——。

角川文庫 ISBN 978-4-04-382901-9